Les Éditions du Boréal
4447, rue Saint-Denis
Montréal (Québec) H2J 2L2
www.editionsboreal.qc.ca

117 Nord

Virginie Blanchette-Doucet

117 Nord

roman

Boréal

© Les Éditions du Boréal 2016
Dépôt légal : 3ᵉ trimestre 2016
Bibliothèque et Archives nationales du Québec

Diffusion au Canada : Dimedia
Diffusion et distribution en Europe : Volumen

*Catalogage avant publication de Bibliothèque et Archives nationales du Québec
et de Bibliothèque et Archives Canada*

Blanchette-Doucet, Virginie, 1989-

117 Nord

ISBN 978-2-7646-2441-8

I. Titre. II. Titre : Cent dix-sept Nord.

PS8603.L365C46   2016   C843'.6   C2016-940853-1

PS9603.L365C46   2016

ISBN PAPIER 978-2-7646-2441-8
ISBN PDF 978-2-7646-3441-7
ISBN ePUB 978-2-7646-4441-6

Retour – Route

Il faut en moyenne six heures de Montréal à l'entrée de Val-d'Or. Cinq cent vingt-neuf kilomètres. Sur la carte, les rivières et les lacs s'entrelacent dans la zone verte du parc de La Vérendrye. Il n'y a rien, ou presque, que des arbres sur des kilomètres, à n'en plus finir. C'est une zone où on avance, dans un sens comme dans l'autre, la musique à fond pour s'engourdir, les membres qui s'ankylosent et qui fourmillent. Avec la Tercel, il faut s'arrêter une fois pour remettre de l'essence. On se rend avec le réservoir plein, mais de justesse. J'ai essayé.

À force d'allers-retours, toutes les voitures croisées en chemin se ressemblent. Les saisons se replient les unes sur les autres, des trous se creusent dans la route. On les remplit, ils se creusent encore.

L'asphalte est un long ruban sur lequel nous glissons, un tapis roulant qui repasse inlassablement sous les roues de la Tercel. Je n'avance pas, je tire à moi l'horizon. Le pare-brise est un écran étanche. Un mur de verre où projeter des images.

Ce qui nous dépossède

Notre cabane dans les arbres n'a jamais eu de toit. Elle nous appartient parce qu'elle a un plancher, une échelle inclinée que le chien arrive à monter derrière nous. Le sentier est aussi le nôtre. Nous le traçons dans la forêt, entre les arbres, un peu au hasard, en partant d'endroits différents. Nous sommes chez nous partout : nos pas, notre forêt, notre chemin.

Au bout du sentier s'arrête notre territoire, avec la ligne des arbres aux troncs minces. Là, il y a une route de terre, un pont.

La rivière sous le pont nous échappe. Contaminée par la vieille mine, elle m'est interdite. D'autres avant nous y ont laissé leur empreinte, une empreinte chimique, quasi éternelle. Mes parents m'ont expliqué le danger, et j'ai tellement peur de me faire chicaner que je reste sur la berge pendant que tu plonges tes mains dans l'eau brune.

Nous roulons à toute vitesse sur nos vélos.

De part et d'autre de la route 117, nos maisons se font face.

Les arbres se souviennent de nos passages répétés, qui ont fait affleurer des roches veinées de quartz blanc, comme des balises pour nous empêcher de mettre le pied en dehors de chez nous. Nous courons, tu cries devant moi que je suis lente et que si un ours arrive tu vas le laisser me bouffer. La terre amortit mes pas dans un bruit sourd. C'est l'été où j'ai arrêté de grandir.

Angle mort

Avec mes parents, nous traversons le pont, la rivière.

De l'autre côté, le chemin de terre est défoncé par les camions qui vont parfois à la vieille mine. Il a plu ce matin. Mon père t'a donné un tournevis pour que tu installes ton garde-boue à l'arrière de ton vélo. Les trous d'eau frémissent à ton approche. Tu prends ton élan pour passer dedans. La boue gicle et l'eau se brouille.

J'ai autant de plaisir à te regarder te salir que tu en as à tester ton nouvel équipement. Tant que tu roules à bonne distance, mes parents te laissent faire. J'aime penser qu'ils marchent main dans la main derrière nous. Je ne me retourne pas pour vérifier.

À l'entrée du site de la vieille mine, un écriteau nous avertit de la présence de caméras de

surveillance. Idée absurde, devant les graminées hirsutes qui peinent à s'enraciner dans le
sol de glaise, les pauvres ruisseaux, les piles
de branches, les monticules de roches rouillées.
Il nous faudrait des jours de marche et de vélo
pour faire le tour de l'espace arraché. Personne
ne viendrait nous demander de partir.

Personne ne viendra plus ici, il n'y a rien à
trouver, j'en suis à ce moment absolument certaine.

Ligne de vie

Mes mains ne caressent plus le bois dans le bon sens. Ce matin, une longue écharde s'est fixée dans ma paume. J'ai lancé mes lunettes de protection à travers la pièce. Les gars étaient tous affairés à quelque chose, soudainement. Qu'ils ne s'inquiètent pas, je ne sais plus pleurer.

Après le dîner, j'ai quitté l'atelier et Montréal en direction de la 15 Nord. J'ai retrouvé une sorte de calme en tournant la clé dans le contact. Le temps était neutre, le ciel blanc. Il y avait de la brume dans les Laurentides. Je conduisais vite, ne prenais pas vraiment le temps de ralentir avant les courbes. La Tercel se soumettait à la force d'inertie, et sentir la résistance dans le volant me plaisait.

C'était comme être sur le point de s'endormir et soudain tomber dans le vide. Je rattrapais mon corps au vol.

Rentrer en ville

À l'entrée de Val-d'Or, à côté de la tour d'eau, le *shaft* de la mine est la première chose qu'on voit, avec son chevalement de métal rouillé, carré et plus haut que les autres bâtiments.

À droite, les piles de gravier stérile font des chaînes de montagnes étranges. La lisière d'arbres laissée en paravent le long de la route ne cache rien, surtout en hiver. Après le long chemin pour traverser la forêt, le gris de la mine est dérangeant, même en petits morceaux devinés entre les maigres bouleaux.

Devant, la ville commence : rues grises, maisons basses aux toits de bardeaux foncés, stations-service en enfilade.

À gauche, le regard s'arrête là où les arbres se dressent. Le ciel est large et pâle.

Éclipse

Il faut rouler encore cinq kilomètres à partir de l'église beige au milieu du village. Je n'ai plus envie d'être là.

La Tercel avance. Le soleil va passer derrière la ligne dentelée des arbres et il n'y aura plus rien. Plus de chaleur sur mon visage, plus d'aveuglement. Je n'arrêterai pas la voiture devant chez Francis, j'en suis certaine maintenant. Il ne sait pas que je suis ici.

J'aurais pu arriver quelque part. J'aurais pu être en route pour la mine, celle où nous travaillions ensemble il y a longtemps déjà, celle qui n'a jamais menacé nos maisons. Le soleil aurait pu se lever au lieu de se coucher. Ses mains à lui auraient été sur le volant de la Tercel moins rouillée, moins bruyante que maintenant.

Je regarde la 117 se dérouler devant. Je dormirai à Preissac ce soir. Les enfants de mon frère lui ressembleront ; ils seront curieusement étrangers. Mes parents ne sauront pas quoi me dire, sauf quand il sera question de mon minuscule appartement à Montréal, bien plus petit qu'une maison, non ?

J'ai oublié ce que c'était, d'avoir toute une maison pour soi. J'ai oublié beaucoup de choses. Le temps qui passe, l'heure qu'il est, des paysages entiers que j'absorbe et que j'efface aussitôt.

J'ai oublié cette maison. Le geste lourd d'une pelle mécanique vers la cheminée de briques.

Les fondations ouvertes et exposées aux intempéries ; on n'a plus rien à faire du béton qui s'effrite, des poutres qui pourrissent.

L'Abitibi est trop belle et trop dure.

Jeux

Quand on était petits, on ramassait une roche plate, une roche pesante et des petites pierres. On fracassait les petites roches entre les deux grosses. Il fallait y mettre de l'énergie. Ça faisait de la poussière, qui finissait par prendre différentes teintes de gris. On en remplissait des bouteilles de ketchup en vitre. Les lunettes de sécurité que mon père nous obligeait à porter n'arrêtaient pas de glisser, trop grandes pour nos visages.

Si on arrivait à trouver du quartz avec des paillettes de pyrite brillantes, on faisait semblant que c'était de l'or. Même si mon père nous disait que c'était l'or des fous. On aimait bien l'idée d'être fous pour des bouts de roches.

Plus vieux, nous avions la forêt, et la liberté d'y disparaître des heures entières.

Puis nous n'avons plus fait de vélo dans le sentier, parce que nous partions avant le lever du soleil rejoindre la mine dans ta Tercel. C'était pour moi un jeu, je pense. Devenir autre, gagner de l'argent, faire semblant d'avoir des projets, puis retourner à l'école une fois l'été terminé. Je n'avais pas pris de décision pour l'avenir. Partir ou rester ; il n'y avait pas de décision à prendre. Nos maisons étaient là et nous aussi.

Poussière

Dans le t-shirt trop grand qui me donne l'air
d'avoir douze ans et le pantalon de toile bleu
foncé, ma démarche devient automatique-
ment plus calme, plus masculine. Je roule mes
cheveux en tresse sous mon casque. J'ai encore
quelques minutes, dans l'air chaud et moite
de la *dry* presque vide. L'odeur – les relents
chimiques, la froideur du béton humide –
m'est familière. Il est quatre heures quarante-
cinq du matin.

Depuis les escaliers hors de la *dry* jusqu'à la
lunch room, mes pas suivent sur le sol le sentier
de peinture écaillée. Je suis stressée, jusqu'à la
moelle. C'est un deuxième réveil.

Devant moi, Vincent pousse la porte de ses
bras musclés. Son t-shirt n'est pas trop grand,
lui. Ses lunettes à l'envers reposent sur sa
nuque. Dans son uniforme, il est en pleine

possession de lui-même. À son naturel ; non-chalant, mais l'œil alerte, d'un bleu minéral.

Cinq heures du matin et, déjà, les rires fusent autour de la table. Bob secoue son casque en faisant non de la tête. Ses épaules tressautent.

— Maudite gang de pas d'allure !

J'ai manqué la plaisanterie. Francis est assis sur une chaudière retournée, pour me laisser la dernière chaise. Il me fait un clin d'œil et je lui montre mon majeur.

— Coudonc, Coco, as-tu essayé de lui pogner les cuisses dans le char entre chez vous pis icitte ?

Ce matin, depuis le stationnement à côté du poste de garde, on entendait seulement la rumeur des voitures sur la 117. Ce qui n'arrive jamais. Le concentrateur est toujours bruyant, vrombit, cogne, métal contre roc. Je franchis le poste de garde avec Francis en ne comprenant pas ce qui se passe. *Shut down,* qu'il me dit. On va passer toute la *scrap* de la mine, ça va être une grosse journée, les gars vont être stressés.

Aujourd'hui, le silence est un bruit blanc dans ma tête.

Territoire

En revenant de Preissac, je gare la Tercel sur le bord de la route, près des hautes clôtures de treillis métallique. Ils les ont installées pour qu'on n'oublie pas que ce qui se passe de l'autre côté n'a plus rien à voir avec nous.

Les maisons, toutes du même côté de la rue, sont plongées dans la lumière jaune des luminaires. Des papillons tournent autour de celui qui illumine la galerie de la maison de Francis. Il s'y tient, la main sur la poignée de la porte ouverte.

Un chiot s'échappe de la maison et traverse la rue vers moi. Je le prends dans mes bras, il a les yeux foncés et expressifs, me mordille les doigts en frétillant. Je n'arrive même pas à caresser le poil doux de ses oreilles en le ramenant chez lui, tellement il gigote.

Mes bras me paraissent glacés quand je le

dépose sur la première marche de la galerie. Francis s'appuie contre le cadre de porte.

— Salut.

J'écrase une mouche noire qui me piquait dans le cou. J'ai du sang au creux de la paume, juste à côté de la blessure de l'écharde.

Pêle-mêle

Tout ce qui est sur le sentier, entre la maison et le pont, avec la forêt, la butte de sable et le petit étang, la cabane et son échelle, notre campement d'hiver aussi, tout ça est notre territoire.

Chaque saison a ses trésors. Le printemps pour les marmottes qui font leur nid dans le tas d'objets près de l'étang. L'hiver pour les pistes d'animaux dans la neige, les minuscules empreintes de pattes d'un rongeur sur la surface parfaite, interrompues en pleine course par les marques parallèles des serres d'un oiseau de proie.

Il nous arrive de retrouver de la machinerie près du sentier. Un été nous amène la carcasse d'une voiture. Nous enlevons avec un marteau le logo Ford chromé.

Des camions passent sur la route qui mène

au pont. Ils vont vers la vieille mine et en reviennent parfois la benne chargée de gravier.

Nous grandissons, et nos vélos aussi.

Un matin, je dévale le sentier. Un trou me barre la route. Je retourne à la maison t'appeler, te dire de venir. Des odeurs de diesel proviennent de notre côté de la rivière. Les foreurs crient par-dessus le bruit strident de la foreuse, sacrent et crachent par terre.

Tu observes avec intérêt le va-et-vient des hommes autour de la machinerie, bien assis sur ton vélo.

Revenir

Je suis retournée m'asseoir dans la Tercel. Puis j'ai conduit comme d'habitude, d'un seul élan, jusqu'à Montréal. Je n'ai ressenti ni la faim ni la fatigue, rien que l'habituelle lassitude des kilomètres, le bourdonnement particulier dans mon corps et dans ma tête, la lourdeur de mon bassin et ma colonne vertébrale qui s'enfonce dans le siège.

À mon arrivée, le soleil s'est levé paresseusement.

Et maintenant, étendue sur mon lit trop dur dans mon petit appartement, attendant l'heure d'ouvrir l'atelier, je n'ai qu'une image en tête. Elle brise le rythme de mes pensées ordinaires sur l'impression que laissent les kilomètres.

C'est un souvenir.

Je vois Francis dans la forêt, on pédale pour

aller au pont avec les voisins. Ils ont construit une rampe de bois pour sauter avec leurs vélos dans la rivière. Ils en ressortent en s'ébrouant ; j'aligne des roches sur le bord du pont.

C'est vers la fin de l'été, on entend encore le bruit des foreuses au loin. Francis est toujours prêt à remettre la chaîne de mon vélo en place. Lui-même a deux ou trois vélos qu'il démonte, repeint, réassemble. Il a un BMX bleu qu'il ne sort pas quand il pleut. Le vélo est accroché au-dessus de son lit, au plafond de sa chambre, dès qu'il ne roule pas.

Francis se détourne de moi pour enlever son pantalon. Son vieux boxeur est tellement usé qu'on voit la peau de ses fesses à travers le tissu aminci. Les voisins sortent de la rivière. Épaules brunes, cheveux trop longs qui dégoulinent dans leur cou. Francis s'élance de la rampe.

Mon ami sort de la rivière sans son beau vélo, emporté par l'eau trouble. Les garçons plongent et cherchent dans le fond de glaise, sous le pont et plus loin. J'ai envie de rentrer. Francis refuse de prendre mon vélo. Ses yeux fuient les miens.

Trois quarts

Une journée après l'autre, je chasse ce qui reste de mes images anciennes dans l'atelier, avec les mesures compliquées d'un meuble commandé par un client.

Les gars ne parlent pas de mines, de poussière, de tremblements de terre causés par les explosifs. Ils voient l'Abitibi comme une forêt infinie à l'état sauvage, paysage brut, et font des blagues sur la quantité de maringouins et le temps qu'il faut pour être vidé de son sang quand on va dehors. Même s'ils n'y vont jamais.

Tant mieux. Les forêts ont bien des limites. Celles des coupes à blanc et des grands trous de mine ouverts sous le ciel trop plein d'étoiles. Le ciel n'y est pas noir, mais piqueté de lumières presque invisibles ou très brillantes. Un voile par-dessus un autre ; sans fin.

Voir la profondeur de l'espace donne le vertige. Déjà, on est ailleurs.

S'ils s'enfonçaient entre les branches et allaient vraiment là où personne ne va, ils verraient les immenses bassins de décantation de produits chimiques, taches oxydées et lagons étranges dans la forêt boréale.

En ces endroits, il n'y a plus d'hommes concrets, mais des tuyaux qui déversent tant que le minerai sort de la terre et même longtemps après.

J'y pense pendant que mon crayon de plomb trace des lignes sur un panneau de stratifié, pendant que je serre l'étau sur deux pièces collées. Tous les morceaux ne s'emboîtent pas si facilement.

Deuxième couche

À la réunion matinale, les consignes de travail et de sécurité ne me concernent qu'à moitié. Je ferai ce que les autres sont fatigués de faire, comme je suis ici seulement pour l'été. Juste assez longtemps pour me redonner le goût d'aller à l'école.

Trente minutes après, la poussière se dépose déjà sur les bleus de travail. La peau, en dessous, sera bientôt atteinte elle aussi. La poussière, on la respire, on s'en couvre malgré soi. Elle se glisse sous les masques, dans les oreilles. À la fin du *shift,* on la chasse comme on peut sous la douche tiède. J'entends les gars jacasser fort et rire de l'autre côté du mur. Mon eau pleine de savon suit le drain et va s'écouler de leur côté.

Je remets mes vêtements de ville. J'ai du mal à tenir en équilibre sur mes pieds. Sous le plafond haut et les crochets où sont suspendus nos uniformes, le plancher de la *dry* est couvert d'empreintes boueuses ; les miennes. Il n'y a pas d'autres filles sur mon quart de travail.

Francis conduit jusqu'à la maison. Nous ne disons rien.

Tous les mardis, nous retrouvons des collègues au terrain de soccer devant l'église. Francis choisit l'équipe adverse. Il court plus vite, toujours, il me rattrape, je ne sens plus mes jambes, mes poumons veulent me sortir par la gorge. Je donne tout ce que j'ai.

Francis passe le ballon qu'il m'a volé à Vincent, qui l'envoie avec puissance dans le filet. Le claquement qui résonne dans l'air témoigne de sa force. Son t-shirt blanc lui colle au torse, trempé de sueur. Il me fait un large sourire. Je fixe ses dents blanches.

Changement. Je regagne le banc. Francis et Vincent se donnent de grandes tapes dans le dos. J'essuie la sueur qui me coule sur les cuisses, les bras, qui mouille ma nuque et mes cheveux.

La serviette pâle se tache d'ombres grises.

Mes pores expulsent encore la poussière de la mine.

Francis (t'es où ?)

Francis. Il me reste ton nom maintenant trop grand pour coller à ce corps d'enfant que j'ai en tête. J'ai fait exprès d'oublier l'image de toi adulte. Je ne dis jamais « Francis » à voix haute. Te nommer, c'est prouver ton existence, alors qu'il y a des kilomètres d'absence entre nous.

Ai-je déjà vu tes mains d'homme, ton corps d'homme se pencher vers le sol pour me montrer une pousse d'arbre naissante amarrée à une souche ? Tu me montrais comment mettre mon masque, comment vérifier la propreté du filtre de mon respirateur. Tu me tendais chaque morceau de ce qui devenait sur moi un costume grotesque : bouchons, masque, gants en double épaisseur. Ce sont quand même tes mains d'enfant qui me restent, qui s'enfoncent dans le sapinage en froissant les aiguilles.

J'aurais préféré ne rien y connaître et ne t'avoir jamais vu dans ces uniformes pareils d'une mine à l'autre. Les mineurs se ressemblent. Ils ont les mêmes mains et le même rire, sont mon oncle, mon père, mon frère, mon ami.

J'ai porté des bottes lourdes comme les tiennes dans les corridors de la mine.

J'ai eu le cœur qui débattait pour une paillette dans la poussière.

Sortir du bois

Je m'assois dans un coin de l'atelier, le bran de scie colle à mon manteau mouillé comme à un aimant. J'apporte mon humidité froide dans la pièce douillette, un cocon à l'odeur de sève, tranquille.

Jean-Guy, sans se retourner, me demande une planche de pin. J'enlève mon manteau, mes bottes de pluie, je suis presque étonnée de ne pas avoir à essorer mes bras et mes jambes. Mes pieds retrouvent les bottes de protection que je portais à la mine, avant. J'attache mes cheveux qui ressemblent à des fougères mouillées. Longues épaisseurs pesantes que j'ai du mal à rassembler sur ma tête.

Jean-Guy ne me demande rien d'inutile, rien qui ne serve doublement à quelque chose, et quand j'apporte ma planche, c'est en réponse à moi-même que je lui dis :

— J'ai pris l'autobus. Il pleut encore.

Il hoche la tête en me regardant de biais, par pudeur. Il sait que mes phrases sont longues à venir, et puis son affairement autour des machines est réel et ne va pas s'arrêter parce que je suis à côté de lui. Il travaille. Même si je parle, même s'il m'écoute.

Je regarde ses mains, son corps penché sur le bout de bois que j'ai apporté.

Continuité

Tu creuses et tu fracasses encore, Francis. Tes lunettes de sécurité s'ajustent à ton visage d'adulte. Ce sera bientôt l'heure de rentrer chez toi. L'or s'accumule sur tes payes.

Dans le vrombissement de l'air, dans l'odeur chimique qui te mène à la fin de ton *shift*, tu sens ton corps hésiter de fatigue. La douche efface les heures automatiques. Le bâtiment où se trouve la *dry* ne porte pas encore la marque des années. Le métal chromé brille partout.

Tu marches pour rentrer chez toi. Il y avait environ un kilomètre entre la cabane et le pont. C'est probablement la même distance entre le stationnement gris et ta galerie.

Douze heures de nuit. Ta maison est vide. Le chiot qui pleure dans sa cage a le ventre creux. Ça te rappelle que tu as faim, toi aussi.

Ta maison tremble jusqu'aux bouteilles de bière dans le frigo.

Le chien se blottit dans ton cou. Tu t'endors devant les images de ta maison au bord d'un trou si immense que je n'ose pas le regarder en face.

Plus aucun arbre n'a le droit
de faire du bruit quand on l'abat

Quand la terre s'est mise à trembler pour la première fois, tu étais où ? Est-ce que tes mains ont fait leur part du crime ?

Ces mains-là me tuent.

Pour ne pas y penser, j'attache les miennes à des planches qu'il faut dégauchir, à du bois brut auquel il faut faire entendre raison. Mon corps se penche sur des cadavres qui exhalent leur dernier parfum de sève. La scie n'a rien à voir avec le grain du bois. N'a rien à voir avec le chemin patient des racines qui restent là à pourrir. Il n'y a que le fracas des troncs qui s'abattent et l'odeur des machines.

Je récupère les morceaux qui restent et j'en fais autre chose. Il faut du temps pour guérir le bois du manque de sa ramure, de son feuillage et de l'instant où il a été foudroyé. Tu aurais pu me demander de revenir, bientôt.

Je suis certaine que tu travailles encore en silence.

Je pense à cette famille, emprisonnée dans la tôle tordue de sa voiture sous le poids d'immenses troncs d'arbres qui ont glissé, glissé du camion devant. Trop lourd, le bois ; quand il a pris feu, il n'y avait déjà plus rien à faire. Les témoins ont pleuré avec eux, de leur petitesse humaine et pour ces vies qui ne passeraient jamais le détour. Ont-ils osé retourner dans leur voiture à l'habitacle étanche, se boucher les oreilles, fermer les yeux ?

Le lac tranquille regarde. Tout est occupé à mourir et personne ne s'est jamais trouvé si loin du monde, si loin qu'on devine à peine le temps qu'il faudra pour en revenir.

Ce n'est pas encore l'automne, ce n'est plus l'été.

La courbe de la route, au lieu précis de cet accident, offre une vue magnifique sur le lac. Il faut voir les rayons de lumière obliques, l'eau sans une ride, la cime dentelée des conifères. Le paysage ne se donne pas en entier. L'horizon se défile.

J'aimais faire de la route avec toi, autant que j'aimais marcher à tes côtés et ajuster le rythme de mon pas au tien. Je ne sais plus très bien ce que ça veut dire quand je suis dans cette ville que tu détestes, et que tu es encore là-bas.

Arpenteurs de rien

Je regarde la route devant sans vraiment la voir. Je pense à la forêt, qu'ici on écarte à coups de machinerie, parce qu'elle n'arrête pas de se resserrer, de tenter de se refermer sur nos passages. J'imagine ce que feraient les branches en se rejoignant au-dessus des voitures. Une sorte de tunnel, de toit avec de la neige qui s'y déposerait en grosses couches moelleuses, en hiver, au milieu de nulle part.

Dossard de chasse orange sur le dos, un homme marche. Il arpente le bord de la 117, Malartic–Val-d'Or chaque jour, à un mètre à peine des poids lourds qui lui soufflent l'haleine de l'asphalte brûlant en été, le coup de vent plein de neige au visage en hiver. Il avale le paysage de son élan fatigué, le dos raide de détermination, les poings serrés.

J'ai le corps ankylosé, la bouche sèche de ne pas avoir senti ma soif.

Une main invisible pèse sur mon sternum. Mon propre fantôme me colle à la peau.

Debout sur le bord de la route

Quand j'arrive, tu m'attends, debout sur le bord de la 117.

Je pense à ton silence en voiture, et ce n'est pas le même silence quand je suis vraiment seule, entre Montréal et Val-d'Or. Je gare la Tercel, tu cognes doucement contre la vitre.

J'ouvre la portière et tu te penches pour tirer sur la poignée du coffre. À peine bonjour, et tu décharges déjà mes affaires. Presque rien. Ça me va, même si j'aimerais que ce soit facile. Il te suffit d'un voyage pour apporter mes valises dans la maison. Tu ne reviens pas dehors. Je te laisse quelques minutes, seul à l'intérieur, parce que je sais que nous en avons besoin.

De l'autre côté de la rue, la rumeur est constante. Ils ont fait apparaître une butte de terre, où des herbes folles poussent malgré la chaleur sèche de l'été. La tôle de la Tercel contre ma cuisse est brûlante.

Sais-tu, pour l'atelier ? Les machines finissent par se ressembler, toutes.

Reflet

À Montréal, Jean-Guy a monté la garde sans problème. Je ne me sens ni plus ni moins fatiguée qu'avant de partir. J'ôte mon manteau comme on se défait d'une vieille peau.

Jean-Guy enlève ses lunettes de sécurité en les laissant pendre sur sa poitrine, au bout d'un cordon de cuir usé. Il m'énumère ce qu'ils ont vendu, ou prévu vendre. Je n'arrive pas à faire semblant d'être contente. Jean-Guy s'arrête au milieu de sa liste. Il sait que je ne l'écoute pas.

— Je t'ai gardé un vaisselier.

Je lève les yeux vers lui. Je regarde plus souvent le plancher, ou ses mains qui bougent lentement, que ses yeux.

Il a parfois les mêmes yeux que Francis, sauf les fines rides autour, bien sûr. Mais la même profondeur, le regard un peu triste des gens qui savent. Jean-Guy balaie l'air de la main, m'indiquant un meuble abrié dans un coin.

Je m'approche et soulève un pan du drap. Contre le tissu, le bois sombre paraît d'une douceur que seule l'usure peut apporter. Je passe mon doigt sur une rainure, laissée peut-être par un déménagement.

Le jumeau de ce vaisselier se trouvait dans la pièce principale de ma maison d'enfance. C'était un gros meuble dont on ne savait trop que faire, mais il avait un côté vieillot qui devait plaire à mes parents, puisque malgré les années il était toujours resté, trônant en maître au centre de nos déplacements.

Les vitres devaient être celles d'origine, les poignées aussi.

— Le monsieur de la rue Bernard voulait s'en débarrasser, dit Jean-Guy. Je l'ai pris en allant livrer sa table.

Comme d'habitude, je ne sais pas quoi dire.

Je me penche pour regarder dans les tiroirs. Il n'y a pas moyen de déterminer si c'est le même meuble ou un autre.

Là-bas, avant qu'ils détruisent la maison,

j'avais tout laissé au premier venu, tout donné. Je ne voulais pas repartir avec les meubles, les installer entre d'autres murs, me promener parmi eux comme s'il ne s'était rien passé, ranger ma vaisselle sur les tablettes en me rappelant les bons jours, faire comme ma mère et replacer une mèche folle en m'apercevant dans les portes vitrées. Ni comme mon père et déposer mes clés sur le haut du meuble plutôt que dans le tiroir, là où personne ne pouvait les atteindre ni lui-même se rappeler que c'était là qu'il les avait déposées.

Je voulais quand même toucher ce meuble, juste pour voir s'il existait, pour voir si j'existais moi aussi.

Jean-Guy dit : on te l'apporte chez toi ce soir si tu veux.

Je dis oui. Et puis merci.

Automne – Intermède

L'automne ne pardonne pas. C'était l'été et le lendemain, c'est fini. Le fond de l'air n'est plus le même, le vert des arbres s'éteint.

Le gazon se couvre lentement de feuilles. Nous passons de longues heures à les ratisser, souffle blanc dans l'air. La brouette rouillée fait des allers-retours en grinçant jusqu'au fond de la cour, à la lisière de la forêt.

Ces gestes, je sais bien que nous devions les faire, mais je ne comprends plus pourquoi, comment. Pendant des années, nous avons pris soin de cette maison. Peint les murs et lavé les planchers. Cordé des bûches le long des fondations au crépi craquelé. Mis du bois dans l'âtre, laissé crépiter le feu, regardé par les fenêtres les premiers flocons de neige tomber. Nous avons rangé les maillots de bain dans un tiroir, sorti les bas de laine et les gros chandails, les foulards et les mitaines, pour faire l'inverse quelques mois plus tard. Un matin, c'est l'hiver et on s'emmitoufle, bottes manteau tuque, sur le bord de la 117 en attendant l'autobus.

Il n'y en a plus de traces.

C'était une maison simple : une cheminée, une cave au sol de béton où on s'assoyait dans un vieux divan de velours devant la chaleur du poêle.

Les fenêtres attiraient le soleil du matin au soir, c'était ce qu'il y avait de mieux.

J'ai oublié le nombre de marches qu'il y avait dans l'escalier, mais mon corps se souvient des enjambées nécessaires. De la descente, du saut sur le palier, une main sur le garde-corps. J'aimais m'asseoir sur une marche, les jambes ballantes dans le vide. La nuit, je passais sur la pointe des pieds en frôlant les meubles. La lumière de la lune faisait comme des flaques mouillées sur le plancher. C'est peut-être le souvenir, mais j'avais l'impression de voir en noir et blanc.

Je remontais dans ma chambre aussi silencieusement. Mon lit sous la fenêtre, à genoux, je pouvais poser mes avant-bras contre le cadre de bois frais, mon front contre la vitre, regarder la maison de Francis qui dormait, elle aussi, en face.

L'enchaînement des pièces m'est encore une donnée quotidienne. Mon corps habite cet espace, c'est moi qui ne coïncide plus avec le reste.

À Montréal, sur le trottoir, j'essaie de ne pas toucher les gens, mais je ne me déplace jamais du bon côté, nos mains se heurtent, nos épaules se frôlent.

Preissac

Quand mon frère a eu son bébé, mes parents étaient déjà à la retraite. La rumeur de la mine les a peut-être poussés à partir, mais, au fond de moi, je sais.

Je ne pouvais pas rivaliser avec ce bébé dodu, aux yeux pâles et sérieux comme ceux de mon frère.

Mes parents sont partis à Preissac avec une remorque attelée à la voiture. Ils disaient ne pas avoir besoin de plus. Leur cour arrière s'ouvrait sur celle de mon frère.

Ils m'ont donné la maison et tous les trousseaux de clés. Je n'ai jamais dormi ailleurs que dans mon lit simple dans ma chambre d'enfant, avant ou après leur départ. J'aurais pu m'installer dans une autre pièce, mais c'était déjà suffisamment étrange de vivre là seule, je ne voulais rien bouger de plus.

Je regardais parfois Francis et sa mère faire la vaisselle côte à côte, encadrés comme un tableau illuminé par la fenêtre de la cuisine. Il était tellement plus grand qu'elle ; je ne sais pas pourquoi, mais ça me touchait toujours, son corps à côté du sien. Toujours un peu gauche. Toujours à incliner la tête vers elle quand elle parlait.

Mes parents m'appelaient le dimanche matin, me demandaient quand je viendrais faire un tour. Je n'avais pas de voiture, et me rendre là-bas était compliqué. Francis avait proposé de m'y emmener en Tercel à quelques reprises. J'ai souvent décliné.

Je n'avais rien prévu d'autre. Ma maison debout en face de celle de Francis.

La maison démolie

Tu t'es levé un matin dans le fracas de la pelle mécanique. C'était plus près que d'habitude, de l'autre côté de la rue. C'était ma maison ; ce ne serait jamais la tienne.

Francis, quand je suis partie avec la Tercel, je savais ce qui allait arriver. Tu as peut-être pensé que j'allais revenir pour voir le massacre.

Combien de fois déjà avais-je regardé ce spectacle plus loin sur la 117, avec un mélange de fascination et de stupeur, tu sais, comment on peut un matin se lever pour aller regarder de la machinerie lourde détruire les traces qu'on voulait justement laisser ?

Faire disparaître en poussière, en mille miettes, ce qui avait pris tellement de temps à construire. Je ne pense pas seulement aux bardeaux cloués sur le toit, mais à toutes ces petites tâches qui tardent et qu'on n'accomplit que des années plus tard – poser des tablettes en mesurant bien pour qu'elles soient droites, peindre l'intérieur d'un garde-robe, ajuster les rails des tiroirs pour qu'ils glissent sans bruit et ne coincent plus.

Tu sais, Francis, que j'ai gratté dans les coins en espérant y trouver des signes. Tout le monde est parti, j'avais cette maison, ça devait bien avoir un sens. C'est là que s'échouaient mes rêves, je n'avais pas d'horizon plus lointain.

J'ai changé. J'ai vidé la maison, qui était peut-être déjà pleine d'échos.

Dans dix, cent ans, ils auront peut-être aussi besoin de démolir la tienne. Ou bien elle restera perchée, avec ses souvenirs, avec les passages répétés de ta mère devant la porte de ta chambre pour te dire de lâcher ton vélo et de venir manger, au bord d'un trou si grand qu'on dirait à la fois rien et le désert.

En voiture

Il était tellement fier que je ne pouvais pas me retenir de sourire. Francis, jambes et bras trop longs, t-shirt délavé du Festival du camion, tellement fier, à côté d'une Tercel turquoise.

— C'est fini, les bicycles ! Je t'amène où ?

Nous prenons la route vers Rouyn. Les vitres baissées, parce qu'il n'y a pas de climatisation. Il rit. Ses cheveux sont ébouriffés. Francis tient le volant d'une main aux ongles rongés, bien calé dans son siège.

Ce détail – les ongles rongés, la pulpe ronde au bout de chaque doigt – me revient toujours quand je pense à Francis.

Dans un présent lointain, Francis lève sa main, s'appuie contre le cadre d'une porte en bois, tourne une clé dans la serrure avec l'autre main. Francis met de l'essence dans une voiture qui n'est pas la Tercel, la main droite dans la poche arrière de son jean usé. Francis pèle une clémentine, chaque filament blanc se retrouve dans une petite pile à côté d'une autre petite pile faite des morceaux de pelure. Le processus prend plusieurs minutes. Pas un quartier n'est mangé avant.

Dans le souvenir, je le regarde conduire pendant que les arbres défilent en arrière-plan.

Je ne me vois pas moi-même, dans ces images.

Fatigue

Le matin, j'entre dans l'atelier, mon corps touche du bois. Je serre parfois des mains. Et ça fonctionne.

Je pourrais rester là, des années sans doute, avec Jean-Guy pour me tirer du bois quand il faut, avec Jean-Guy pour me laisser tranquille quand ça déborde, pour me dire de partir, d'y retourner, rien qu'un peu.

Les gars pensent que c'est juste de l'ennui, que mes amis, mes parents me manquent. Ils ne savent pas que la route me désole, pour le vide que je trouve au bout, pour ce qui était là et qui n'y sera plus. Je ne peux rien raconter.

Cette petite fille qui se chamaille avec les garçons n'est pas moi. Elle ne pense pas à toucher les arbres pour sentir l'écorce, mais sa main se pose sur un bouleau parce qu'elle a couru, et que son cœur cogne dans sa poitrine en même temps qu'un immense rire veut exploser de voir Francis agiter les bras en tentant de chasser la libellule qui lui vrombit autour de la tête. L'arbre frémit, elle le jure. Des fourmis lui grimpent le long des muscles.

Magic Trick

— Viens, je vais te faire un *trick* de *magic*.

Je ne bouge pas et je sue. Il doit faire quarante degrés dans le laboratoire, sans l'humidex.

Ted passe devant moi. Par-dessus son bleu de travail, il enfile des jambières couleur aluminium et un manteau du même matériau qui s'attache par-devant avec un velcro. Puis, il enfile son masque à cartouches, dont il serre les courroies pour l'ajuster à son visage, une visière en plastique vert bouteille gondolée par la chaleur et d'épaisses mitaines en amiante avec l'emblème du CH dessiné au feutre indélébile. Accoutré de cette manière, il a l'air encore plus maigre. Il fait de petits pas, limité par le manteau, jusqu'à une étagère où il choisit une planche pleine de creusets.

— Ça, je vais *loader.*

Sa voix est étouffée par le masque et la visière. Je me tiens loin de lui et du four à cause de la chaleur. Il appuie sur une pédale, et une trappe s'ouvre à la hauteur de ses yeux sur un petit espace rouge feu. Avec une perche bizarre, il replace la braise. Ensuite, armé de longues pinces de métal qu'il tient à bout de bras, il dépose un à un des creusets dans l'espace étroit. La trappe se referme.

Il prend une pause pour essuyer la sueur qui lui coule dans les yeux. Je tiens ses mitaines en attendant l'autre étape. Il me fait un clin d'œil. Ses sourcils roux font des vagues.

La deuxième fournaise contient une fusion complète. Cette fois, il fait rouler sous la hotte une table de métal avec ce qui ressemble à un moule à muffins grossier. Il me fait signe de reculer. Juste à sa manière d'appuyer sur la pédale, je vois bien qu'il est fier de me montrer ce qui s'en vient.

Dans la fournaise, les creusets, mats quand ils sont froids, sont rouge luminescent. Une vague de chaleur me frappe. Avec les pinces, Ted prend un premier creuset et, d'un geste calculé, il le fait pivoter. C'est de la lave qui en coule, fluide puis plus dense à la fin, de la couleur du gaz dans l'eau.

Je le regarde répéter les mêmes gestes pour les creusets qui restent. La fusion forme de petits gâteaux, qui noircissent et gonflent en refroidissant.

À neuf

J'aurais pu juste acheter l'atelier, engager des employés et m'enfermer dans mon appartement. Mais j'ai aimé, dès le début, les rires des gars, leur gueule du matin autant que celle de quatre heures, quand la journée est enfin terminée. J'ai retrouvé la dégaine de Vincent, les clins d'œil de Ted, à neuf. L'illusion tenait le coup.

Je suis venue chaque jour, chemise bleue sur le dos, crayon dans la poche, ruban à mesurer à la ceinture. J'ai tourné la clé dans le contact de la Tercel pour moins de cinq kilomètres, le plus souvent pour changer la voiture de côté de rue.

Nous avons reçu du bois, des meubles à réparer et des commandes. Je passais ma main sur les surfaces, je hochais la tête.

Quand Jean-Guy est arrivé, il a tout vu. Un

regard planté dans le mien et j'ai senti que le mur de briques, ma façade démolie, ma palissade d'air ne valaient rien.

— Je sais pas t'es où, mais retournes-y don' te chercher, juste pour voir. Je vais surveiller les p'tits gars le temps que tu reviennes.

Et j'ai conduit jusqu'à Val-d'Or.

Ted

La hotte tire les vapeurs chimiques hors de la salle. Débarrassé de son habit antichaleur, son masque encore collé au visage, Ted s'agite bruyamment. Je m'enfonce des bouchons dans les oreilles.

Ted martèle les petits gâteaux de lave vitrifiés, qui explosent à mesure qu'ils refroidissent. Le sol est couvert de ce qui ressemble à des tessons de bouteille. Je fais exprès de marcher dessus avec mes bottes, un peu pour le bruit, beaucoup pour le désordre.

Je n'ai rien d'autre à faire qu'attendre et observer. À la fin de l'été, j'aurai les mots pour dire ce que fait Ted : il tape les plombs pour les sortir de la scorie, pour les placer ensuite à l'endroit correspondant dans les coupelles, pour les diluer dans l'acide, pour sortir la bille d'argent, et la bille d'or dans la bille d'argent.

Pour l'instant, je remarque à côté de moi une étagère pleine de boîtes marquées *cupels.* On dirait les tasses d'un service à thé pour enfants.

Francis passe derrière moi et me montre les mêmes petits récipients de porcelaine alignés en rangées sur une table. Ted lâche son marteau un instant et nous rejoint. Dans chacune des coupelles bien propres se trouve une bille d'or, quelquefois plus petite qu'un grain de sable.

— *You gotta stop breathing!*

Et il retourne taper ses plombs dans le fond de la pièce, ses cheveux roux hirsutes et le dos cerné de sueur.

Refermer le coffre

Ta mère, placée entre nous, serrait ton bras et le mien. Elle essayait de nous attacher ensemble, comme si ça pouvait m'empêcher de partir. C'était plus fort qu'elle, elle ne pensait pas, je crois, à son corps entre les nôtres, incapables de se toucher. Nous étions encore les deux mêmes enfants silencieux.

Le jour de mon départ, je voyais que tu n'y croyais pas.

Tu t'es dégagé le premier de ce lien bizarre. Ta mère a augmenté légèrement la pression autour de mon avant-bras.

Si tu avais déposé tes clés dans ma main et que la pulpe de tes doigts avait touché ma paume, peut-être aurait-ce été différent.

Tu as fermé le coffre de la Tercel.

— Tout est là, Maude, tu peux partir.

Tu m'as lancé le trousseau.

Intrus.e.s

Un été, les voisins forcent le sentier avec leur voiture. Les branches sont cassées, des arbres vont mourir, et je suis en colère.

Il faut plusieurs années pour que le passage se resserre à nouveau.

Avec Francis, pas loin de la butte de sable, nous tombons sur le frère de la voisine, plus vieux que nous, et une fille que je n'ai jamais vue ; ils s'embrassent à pleine bouche. Nous restons là à les regarder depuis le sentier. Ils ne s'aperçoivent pas de notre présence.

Nous les recroisons plus tard sur le pont. Ils sont assis sur une couverture rouge, au-dessus de l'eau, et je peux voir la main de la fille dans les cheveux foncés du voisin. Francis me dit : « C'est lui qui est rentré dans le bois. » Nous retournons à la maison sans en reparler.

Le soir, il pleut ; une pluie longue, chaude, d'été. Nous laissons les fenêtres ouvertes. Il nous semble entendre les arbres respirer. Les voitures qui passent devant la maison produisent un bruit agréable, humide.

Je me tiens près de la fenêtre, des gouttes de pluie m'éclaboussent.

La maison est tranquille et sombre. Les minutes ont une pesanteur sur ma peau.

Nous n'avons plus revu les voisins dans la forêt, mais, une fois, il y avait des éclats de néons mêlés au sable, des bouts de papier brûlés, et j'ai entendu tard la nuit la voiture rouler dans la cour des voisins, des gens en descendre en riant.

Des maisons qui marchent

Personne n'est mort pendant les mois qui ont précédé la démolition des premières maisons.

Tout le monde était trop occupé à négocier le moindre gravillon de son allée, à faire une croix sur un plan du nouveau quartier, là où on déposerait l'ancienne maison sur de nouvelles fondations. Il fallait résister, échapper à l'ennemi, à la machine, au rouleau compresseur.

Les maisons n'avaient plus de marches qui craquaient, de fenêtres au cadre de bois qui pourrissait, de plafond à la peinture qui s'écaillait. Les murs mal insonorisés, ou mal isolés, le vieux papier peint qu'on détestait, valaient maintenant leur pesant d'or. Il fallait sauver jusqu'aux traces de doigts des ancêtres sur les murs.

Les avis d'expulsion plantés sur les

pelouses disparaissaient mystérieusement. Les maisons vides se rallumaient, le temps d'une nuit, à la lumière de la lampe de poche d'un dormeur nostalgique.

À l'aube, les familles marchaient à côté de leur maison juchée sur une remorque, la vaisselle tremblait dans les armoires aux portes retenues par du ruban collant. Les gyrophares silencieux projetaient leur lumière rouge sur les visages fermés. Une file de voitures attendait derrière, pas de coups de klaxon, pas d'impatience. Cortège.

Personne n'a eu le temps de mourir, mais jamais la 117 n'a compté autant de fantômes.

Électrique

Francis sort de la *dry* en même temps que moi.

Nous venons de prendre notre douche, mais nos vêtements nous collent à la peau tellement l'air est lourd. Nous devons marcher plusieurs mètres entre les bâtiments du laboratoire, le concentrateur, l'entrepôt et la sortie du site de la mine. Et puis, sans avertissement, les nuages se délestent de leur pluie, le ciel nous verse des chaudières d'eau tiède sur la tête.

Nous ralentissons le pas d'un accord tacite.

Nous franchissons le poste de sécurité ensemble. Aucun centimètre de nos vêtements n'est sec. Francis m'ouvre la porte. Nous laissons des traînées humides sur le béton. La gardienne nous dit à demain. Je sais à quoi elle pense.

Les vitres s'embuent quand nous refermons les portières de la voiture. J'aime que Francis n'ajoute rien. Il me conduit jusqu'à la maison, avec la pluie qui bat contre le pare-brise, les roues de la Tercel qui soulèvent des geysers sur notre passage. Il met le chauffage en marche avant que je sente la chair de poule sur mes bras.

Ce soir-là, pour la première fois depuis longtemps, le sommeil parvient à m'avaler entièrement.

J'ouvre les yeux à la seconde où mon réveil sonne. Quatre heures quinze. L'impression d'avoir dormi deux vies.

Doublure

Ils ont une autre étudiante sur le *shift* contraire.

J'ai vu ses dessins de poissons qui font des bulles au dos de ses cartes de travail. Les miennes sont couvertes de mon écriture hésitante, et d'une série de petits *x* centrés dans les cases où on me demande de vérifier mon équipement, la machinerie, la bonbonne de propane du chariot élévateur.

Elle fait le même travail que moi, quand je ne travaille pas. Nous sommes plutôt des images inversées que la continuité l'une de l'autre. Je suis trop sérieuse, trop inquiète. Elle se promène le chandail noué sur une hanche. Elle supporte son mascara malgré la chaleur.

Ce n'est pas naturel sur moi. Je ne peux pas éclater de rire de la même manière, je ne peux pas faire semblant. Mes bottes resteront lourdes, j'aurai l'air d'être dans les vêtements d'un autre.

J'ai vu Vincent me regarder renouer mes cheveux, qui n'arrêtent pas de se défaire, dans la chaleur et mes mouvements répétés. Je chasserais ce qu'il a vu, si je pouvais. Je ne suis pas comme eux, je ne suis pas comme elle.

Vincent, il ne me laisse pas me glisser dans ma tête, m'extraire du fil de la journée. Quand il me voit si concentrée sur ma tâche que je ne ris plus de ses pas de danse comiques devant son comptoir, il me chatouille derrière le genou avec le balai, ouvre la valve de l'aspirateur pour que ma chemise se coince dans le tuyau, chante en faisant tinter ses éprouvettes tellement fort que je l'entends de l'autre bout de la pièce, même avec mes bouchons dans les oreilles.

Il transporte soixante-dix livres d'échantillons de roches dans chaque main en pliant bien les genoux pour les soulever, il fait deux mouvements quand j'en fais dix, en dix fois plus de temps. Puis il prend une pause, assis sur le comptoir dans la poussière, qu'il me force à prendre avec lui. Il n'a pas à négocier longtemps.

Francis passe pour nous donner un coup de main, mais nous avons presque terminé.

— Tout est beau ?

— Ben oui, Coco, encore plus maintenant que t'es là !

Francis me regarde et je hoche la tête, mes lunettes glissent, Vincent saute du comptoir et recommence à chanter en ouvrant les sacs, pinces à la main. Je reste assise à regarder Francis. Nos visages sont à la même hauteur.

Raffinerie

Bob attend. Je suis assise aux commandes, de l'autre côté d'une ligne jaune peinte au sol. Le panneau de contrôle est plein de gros boutons ronds, de cadrans aux aiguilles sautillantes. Il me fait signe.

— Pis, ton gâteau est-y prêt ?

Je regarde les étincelles qui jaillissent en plus grand nombre de la cuve.

Je regarde Bob, inquiète.

— Arrête de me faire tes yeux piteux, belette, j'vas pas te dire la réponse quand tu la connais !

J'appuie sur les commandes, fais remonter les électrodes, puis je commence à incliner la cuve. Bob se tourne vers moi, le pouce levé dans sa mitaine. J'ai atteint la bonne vitesse. La coulée de lave descend l'escalier de moules. Le minerai précieux, plus lourd, coule au fond.

Bob surveille de près, m'indiquant d'incliner ou de ramener la cuve pour réguler la vitesse. Trop vite, je jette de l'or dans le caniveau. Trop lentement, la coulée refroidit, la lave se fige avant les moules.

Nous laissons les briques durcir plusieurs minutes. Bob lance finalement les moules contre le sol. Mes lingots sont argentés, bosse-lés comme la surface lunaire.

Première neige

Je suis arrivée juste à temps pour le voir sortir de la maison, avant son quart de nuit. Il s'est à peine raidi quand j'ai garé la Tercel. Le chiot a surgi de la haie en s'ébrouant. Il avait grandi, pataud encore avec ses pattes trop longues pour le reste de son corps.

Francis a gratté la tête du chien, avant de me lancer les clés de la maison.

— Tu barreras quand tu sortiras marcher. Je reviens à six heures. Le chien a mangé. Pis bois pas ma bière !

Sourire en coin.

Il est parti. J'ai fait le tour de la maison avec le chien, laissant des empreintes d'espadrilles dans la neige.

Derrière la maison, la seule différence était le bruit. La rumeur des camions grondait, lointaine, indistincte, mais présente quand même. Le froid vif de l'air piquait ma peau.

La balançoire de bois de la mère de Francis était à demi enfoncée sous la neige. Elle n'aurait rien abandonné dans la cour avant l'hiver, mais Francis avait laissé la table de patio en plastique blanc et ses chaises empilées sous un bout de toit. Quand l'été reviendrait, tout serait presque en place, recouvert d'une poussière grise qu'il faudrait laver si on voulait manger dehors.

Je suis rentrée dans la maison. J'ai bu la bière qui restait dans le frigo.

La nuit était tranquille, à l'exception des *blasts* qui ont fait trembler les murs un instant, je ne sais plus à quelle heure. Le soleil n'était pas levé quand Francis est revenu. Le chiot dormait au pied du divan, j'avais la main qui lui frôlait le dos, et il poussait de drôles de petits soupirs. J'ai gardé mes yeux fermés le temps que Francis enlève son manteau, ses bottes, qu'il dépose sa boîte à lunch en métal par terre.

Le plancher a craqué sous ses pas, jusqu'à ce qu'il arrive sur le tapis du salon. Une pause. Il est parti vers la chambre, est revenu et m'a abriée d'une couverture douce et épaisse. Une porte a grincé derrière lui. Le chien a reposé sa tête contre ses pattes.

Pneus

Francis manœuvre depuis quelques années l'un des plus gros camions de la mine, le 240 tonnes, à mi-chemin entre le Transformer et l'animal préhistorique. Les pneus du camion sont habillés de chaînes à l'année, pour ne pas glisser sur la neige en hiver ou sur le gravier mou de la rampe. Leur caoutchouc est épais comme une cuirasse. Grimper jusqu'à la cabine prend deux volées de marches. De là-haut, Francis a le sentiment de piloter un bateau sur une mer grise. Il passe son *shift* derrière son volant, à attendre que l'opérateur charge la benne, à monter la rampe pour vider son chargement dans le concasseur.

Après les premiers *shifts*, il rêvait la nuit qu'il faisait encore des voyages de minerai, les chiffres rouges de la balance dépassant toujours les deux cent quarante tonnes de capacité de la benne. Il avait beau klaxonner, insulter le gars du chargement, son camion débordait, le minerai tombait derrière lui pendant sa lente remontée de la rampe jusqu'au concasseur, où enfin il se délestait du poids de la roche comme s'il pesait sur ses propres épaules. Maintenant, quand Francis revient à la maison après ses douze heures, il ne rêve plus.

Pendant les *blasts*, Francis n'a rien à faire. Il amène parfois le camion au garage.

À mesure que la fosse se creuse, l'*open pit* s'élargit. Les chemins pour remonter du fond du trou sont changeants. D'énormes pneus trop usés pour la machinerie jalonnent la route, permettant aux conducteurs de sortir de ce labyrinthe.

Les pièces de camion, en plus de coûter les yeux de la tête, ne durent pas éternellement. Il faut les faire venir de l'étranger, ainsi que des outils spéciaux pour poser les morceaux que même dix hommes ne réussiraient pas à soulever.

On déverse des centaines de litres de diesel dans ces véhicules puissants. Ils sont graissés, inspectés, entretenus. Même la benne redescend sur une base protégée par une couverture de caoutchouc. On évite les dommages précoces, mais surtout la pollution sonore pour les habitants de l'autre côté du mur.

La nuit, même si le travail du concentrateur et des autres bâtiments de surface se poursuit pour que le traitement du minerai se fasse en continu, les corridors du bloc central sont tranquilles. Les éclairages sont réduits au minimum.

La fosse prend, pour le conducteur assis du côté de la paroi, une dimension abstraite. Le cahot du 240 tonnes sur le gravier fait osciller les phares, les jets de lumière éblouissant par à-coups les autres opérateurs au volant de leur propre véhicule. Il est facile d'oublier la proximité de la ville, la tangibilité des maisons serrées de l'autre côté du mur. Il est facile de tourner le volant brusquement, de ne pas laisser assez de place à la machinerie qui arrive en sens inverse et, qui sait, de se retrouver sous la ferraille au fond du trou.

Temps mort

En été, du côté de la raffinerie, nous n'avons souvent rien à faire.

Ce sont des journées où les machines ne font que vrombir doucement, au minimum. Si aucune alarme ne retentit, nous donnons quelques coups de pinceau. Vincent, que le désœuvrement rend particulièrement créatif, se charge de laisser de nouvelles traces de peinture sur mon casque. Après deux rampes redevenues jaunes, nous laissons nos chemises et nos masques dans la zone de travail pour nous asseoir à la table de la *lunchroom*.

Et nous jouons aux cartes. Toujours le même jeu, toutes les six, quatre, deux heures qui restent.

Si l'un de nous a quelque chose à faire de l'autre côté, nous nous levons tous ensemble.

À la fin de la journée, c'est moi qui ai la

tâche d'apporter au laboratoire les échantillons tirés des lingots. Bob utilise une perceuse pour creuser la brique d'or. Des frisottis de métal brillants tombent sur le plancher, s'accrochent à sa chemise. Il les ramasse méticuleusement pour les mettre dans le pot, pendant que la caméra au plafond suit ses gestes. Il garde ses manches roulées jusqu'aux coudes, a cousu ses poches pour ne pas avoir le réflexe d'y mettre ses mains. Pas question de passer pour un voleur.

Le pot sur la balance, nous lisons à tour de rôle le chiffre, apposons nos initiales à cinq endroits. Puis Bob me lance l'échantillon. Encore une journée ; une de moins.

Sur le chemin du laboratoire, les morceaux d'or s'entrechoquent dans ma poche à chacun de mes pas.

La cabane

Nous rêvions de dormir dans cette cabane alors même qu'elle n'était qu'un plancher.

Agrippée au treillis de métal, je me fais penser à un animal griffu qui se demande s'il regarde la cage ou s'il est coincé à l'intérieur. Il ne reste plus rien de la maison, mais la forêt, elle, se dresse encore en partie. La forêt d'hiver, du moins, qui fait paraître les arbres encore plus chétifs, qui n'a que le vert sombre des conifères pour se détacher du ciel.

Je ne sais pas où s'est opérée la coupure. Ils ont sans doute détourné la rivière, démoli le pont, mais la cabane ? Les planches utilisées venaient du tas de déchets à côté de l'étang. Nous n'avons pas enlevé les cocons de chenilles, n'avions rien à faire des fourmis qui creusaient le bois. Les insectes me dérangent maintenant, je n'ai plus l'habitude.

Je dis cabane, mais c'est resté un plancher, une échelle, entre des branches de trembles qui nous rendaient invisibles. Nous avions gravé nos initiales dans l'écorce de l'un de ces arbres, aussi haut que nous pouvions. Parce qu'un jour il y aurait un deuxième étage. Nous pourrions y vivre, et les vélos seraient à l'abri de la pluie.

L'arbre pousserait encore, et notre marque s'élèverait toujours plus haut avec son tronc.

La marque s'est cicatrisée dans l'écorce verdâtre, quasi illisible, un zigzag noir.

Je suppose que ces signes de notre passage ne valent plus rien, maintenant.

Étrangers, étrangère

Ceux qui sont venus frapper à ma porte ne faisaient pas partie des miens. Ils ne connaissaient pas les mots ni les codes. Ni le rythme cardiaque qui s'emballe toujours un peu avec les secousses de la cage qui te fait descendre dans l'humidité et la chaleur des entrailles de la terre.

Ils n'avaient rien à m'apprendre ; je les attendais.

Mains propres, chemises et papiers blancs avec des mots simples, cartes du village en douze exemplaires marqués de flèches et de couleurs. Nouveaux plans de quartiers, promesses de nouveaux établissements, bibliothèque, écoles, lieux du futur, à prix d'or. Pour que je comprenne clairement ce qui était déjà, depuis longtemps, porté par la rumeur.

Je les ai laissés parler, debout dans l'entrée. Je ne sais plus combien de temps.

Toutes les maisons du côté ouest de la 117 devaient être déplacées. La vieille mine, de l'autre côté du pont, rouvrait. Francis tondait sa pelouse, en face, avec sur le dos son éternel t-shirt du Festival du camion.

La notion de territoire

— Combien ?

Ils ont tergiversé, ma réponse était trop facile.

Je devais pleurer, résister, me fâcher ; j'ai demandé le chèque, le plus tôt possible. J'ai commencé à faire mes boîtes. J'ai liquidé les meubles.

Pendant que mes voisins tenaient des conseils de guerre dans leur cuisine, une Labatt froide à la main, on forait déjà sur ma terre, dans mon jardin. Le gazon, le jardin piétinés, je n'entrais plus chez moi.

Le soir, j'éteignais la lumière, passant d'une pièce à l'autre, où l'écho de mes pas prenait de plus en plus d'espace.

Les murs ne me racontaient plus les mêmes histoires.

Les coudes appuyés contre le cadre en bois

de la fenêtre, je regardais la maison sombre de Francis. Petite maison frêle, il n'aurait pas fallu deux coups de pelle pour la faire s'écrouler. Mais elle était du bon côté de la 117. Personne ne cognerait à sa porte, ne lui offrirait un prix ridiculement élevé pour acheter sa maison avant de la démolir. C'était la mienne qui se tenait sur la faille.

Ce soir-là, j'ai su hors de tout doute que j'allais partir.

Le regard fixé sur ses dents blanches

Il me restait deux semaines à la mine. Jamais mes bottes n'avaient été aussi lourdes. Nous avons joué au soccer deux fois encore. Je n'avais pas le cœur de faire semblant. J'avais mal au corps, aucune vision du jeu. Une potiche essoufflée au milieu du terrain.

Le dernier soir, Vincent a invité l'équipe à prendre une bière chez lui, après notre dernière défaite. J'étais gluante de sueur et de produit antimoustique.

Je me suis changée en vitesse derrière la Tercel de Francis, avant de rejoindre l'équipe. Une bière a suivi l'autre, et quand je me suis levée pour partir, la Tercel n'était plus dans la cour. Vincent me regardait en riant. Ses yeux bleus comme ceux d'un chat bizarre.

Je voyais double.

Court – Cours

J'irai là où on ne connaît pas les noms des minéraux, où les ours affamés par les braconniers ne sortent pas du bois. C'est trop difficile de t'expliquer. Il n'y avait que moi dans cette grande maison. Toi, quelqu'un t'attendait.

— Je pars.

— Maude, voyons donc, tu peux pas.

Je ne voulais pas pleurer devant toi, avec ta mère qui faisait semblant de dormir sur le divan.

— J'ai déjà dit oui. J'ai pris le chèque.

Tu n'as pas insisté. Je me suis assise dans la cuisine. À cet instant, j'aurais juré que tu me haïssais.

La source

Les courses à vélo nous donnent soif.

Près de la rivière coule une source entre deux roches. D'un tuyau sort de l'eau fraîche, limpide. Les jours d'été, c'est un endroit infesté de moustiques, mais nous allons y boire quand même.

C'est un vrai plaisir de grimper sur une souche pour atteindre le creux de l'arbre juste à côté, où nous avons caché un verre de plastique. Ce genre de verre plein de paillettes entre les parois turquoise, couvert de dessins de princesses de Walt Disney.

Francis ne boirait jamais dans ce verre – fierté masculine oblige –, mais il se fait un devoir de le sortir de sa cachette. Il le rince à la source pour me le tendre, plein à ras bord. Lui s'abreuve les genoux dans la boue, mouillant son t-shirt.

Le verre remis dans le creux de l'arbre, nous reprenons nos vélos pour fuir les hordes de maringouins. Francis a pour ça des cris de guerre. Je ris tellement que je roule de travers.

Far West

Cinquante-cinq mille tonnes de minerai par jour. Des camions, minuscules vus d'en haut, remontent la côte la benne pleine, redescendent la benne vide, pour aller chercher au fond du trou la roche grise concassée. Sa teneur est faible ; elle ne brille pas.

Dans l'*open pit,* les règles ne sont pas les mêmes. Impossibles, ces vieilles blagues de mineurs qui prennent la cage le matin pour retourner dans la noirceur chaude et humide de la terre. Pas de papillon mort à déposer sur l'épaule du voisin. On ne se serre plus contre ses collègues dans l'espace restreint. Chacun sa cabine.

L'*open pit* est aussi beaucoup moins salissant. Pourtant, dans la *lunchroom* de surface, les boîtes de métal sont couvertes de *muck* noire. Une autre *job,* une autre mine, un autre temps, une année « sans accident » et un auto-collant brillant de plus par-dessus les autres sur l'aluminium cabossé. On est venu voir si l'or miroite plus de ce côté de la 117. On a peut-être rêvé de ne plus soulever la machine-rie lourde dans ses habits poisseux de sueur, en rêvant de l'*open pit* et des camions climati-sés.

On charrie du minerai, encore, mais c'est la machine qui fait l'effort, et on n'est presque plus jamais dans le noir.

Les uniformes sont neufs, les casques de plastique, rutilants. Les dossards orange s'alignent sur un long comptoir. Quand l'*open pit* est enfin ouvert et que les journées de for-mation interminables sont derrière soi, au volant de son camion-benne, de son *loader* ou de sa foreuse, on a quand même une petite pensée pour les gars qui sont restés à l'autre place. Pour les jours de noirceur et les jours de jour.

Pour les *shifts* qui n'ont plus d'heures, et pour la 117 interminable.

Le trou se creuse, s'étend, prend l'horizon.

Dans sa nouvelle maison de son nouveau quartier, on se dit que c'est bizarre, de creuser si profond là où on pensait avoir ses racines, mais qu'on aime autant voir l'or sur ses payes que pas du tout.

Jours de nuit

Francis est déjà reparti travailler. Le chien est dans sa cage et la maison paraît tellement vide que je n'en vois que l'usure, les meubles démodés et le tapis qui doit couvrir de très beaux planchers de bois.

Chez Francis, les calorifères courent le long des pièces et leur bruit de tôle ressemble à celui de ressorts qui se détendent. J'imagine avec angoisse que c'est un mulot coincé dedans qui fait le bruit avec ses petites pattes contre les morceaux de métal brûlant.

Je me glisse sous les couvertures de son lit pour le troisième soir, dans la chambre qui était celle de sa mère. Il ne rentrera qu'au matin, alors que je serai déjà debout, habillée, sur le bord de la porte prête à aller promener le chien. Il aura ses yeux de fatigue et les cheveux humides et qui sentent bon.

Francis dort toute la journée, pour quelques jours encore.

Je dors la nuit, d'un sommeil pesant comme ses draps, jusqu'au moment où lui et les autres font trembler la terre. La vaisselle de sa mère tinte dans le vaisselier de sa grand-mère. Le chien jappe trois fois.

Avant qu'il ne se mette à hurler, mes pieds retrouvent le tapis rugueux, et le filtre de mes rêves transforme la maison en chaloupe frêle au milieu d'un lac en furie.

La porte de la cage libère une boule de chaleur au cœur qui palpite comme un fou. Il se blottit dans mes bras, ses pattes dépassant de partout.

Pour nous calmer, je nous raconte la fin de la vieille chienne sénile, qui se perdait tellement loin en forêt que j'allais faire des prières, tracer des lettres dans le sable, lancer une pierre les yeux fermés. La pierre tombait, il y avait un sens à tout ça. En ouvrant les yeux, je savais si elle reviendrait. Je croyais savoir.

Des images de chiens que nous avons eus me viennent en tête, alors que je sombre à nouveau. Je ne me souviens pas d'eux

bébés, ou alors je me souviens des images
figées sur les photos et pas de la douceur du
pelage, surtout celui des oreilles, ou de l'aigu
des dents.

Sabotage

Le minerai concassé est remonté par le convoyeur, puis il sera broyé, pulvérisé, jusqu'à devenir la pulpe traitée par cyanuration pour en tirer l'or.

Dès que Francis passe le poste de garde, le front contre la vitre de l'autobus comme un écolier, il s'imagine marcher le long du convoyeur. À mesure qu'il avance, il laisse mentalement ses doigts résonner sur la grille de protection, accompagné du fracas des pierres à l'intérieur du conduit.

Pour éteindre le bruit, il n'aurait qu'à tirer sur les courroies orange. Alors, tout s'arrêterait. Une seconde de silence avant le déchirement aigu de l'alarme dans l'air, sur le site entier. Des milliers de dollars au point mort.

Francis est certain que cette idée amuserait

sa mère autant que lui. Quand il doit marcher sur le site, il contourne le convoyeur, juste au cas.

Ouf

Francis revient de la mine, épuisé. Je regarde ses cheveux courts, presque à ras, qui dégagent l'espace de peau lisse derrière son oreille. Ses sourcils épais et foncés. La veine qui palpite jusqu'à l'encolure de son t-shirt.

Francis me raconte comment, aujourd'hui, pendant qu'on chargeait sa benne au fond de la fosse, un autre 240 tonnes est passé devant lui en prenant un raccourci, sans tenir compte des rubans rouges délimitant la zone de forage sur son chemin. L'opérateur, comme si de rien n'était, allait rouler avec son mastodonte sur les explosifs.

— J'aurais pu juste le *caller* sur la radio, Maude, mais j'ai klaxonné comme un malade. Ça se fait pas, on n'est pas sur l'autoroute, dans le *pit*, ça se fait juste pas, klaxonner pour ça. Ça revient à braquer ta lampe frontale dans la face de tout le monde pour les éblouir, sous terre.

Le gars est sorti de sa cabine, bien tranquillement, en lui faisant un petit geste de la main. Ils n'étaient la plupart du temps les uns pour les autres que des numéros immenses peints sur le métal des camions, des voix anonymes ; il ne connaissait pas « 213 ». Francis n'avait plus le choix de sortir de sa cabine.

Le Francis que je connais, c'est un travailleur efficace, mais complètement paralysé par le moindre doute, obsédé par le détail à respecter dans la procédure. Pas comme Vincent, imprudent et orgueilleux, qui travaillait en vrai broche à foin, qui trouvait son rythme de croisière dans un chaos que personne d'autre n'arrivait à suivre.

— Enweille, Coco, y a pas le saint patron des travailleurs en train d'évaluer si tu mérites de monter au ciel !

Du moment où ça allait vite, Vincent était content. Et Vincent avait le don de faire perdre son calme à Francis.

— Tu te souviens de la fois au Puits 1, quand le gars était penché sur sa pelle, ou regardait ses bottes ou j'sais pas quelle niaiserie, avant d'être écrasé comme une crêpe contre la paroi ?

Quelle que soit l'explication de l'autre opérateur, Francis n'en avait rien à faire.

« 213 » lui a demandé si, *off radio,* Francis n'avait pas quelque chose à lui dire.

— Les autres gars m'ont vu le brasser un peu. Le boss a rien dit. C'est presque impossible que ça saute, mais ça peut sauter. À cause d'un *flo,* d'un ado de vingt ans qui texte sa blonde au volant de deux cent quarante tonnes de minerai.

Sa voix se brise. Le regard de Francis… Une fois la colère tombée, il a l'air de sa mère quand elle venait le chercher tard le soir, chez nous, après le souper.

Apprivoiser et mourir

Notre premier chien nous a choisis ; un jour, il apparaît à la lisière de la forêt, s'assoit et nous fixe de ses yeux dorés. Ma mère me donne des bouts de saucisse à hot-dog.

Il ne reste pas farouche longtemps. Quelques semaines plus tard, nous le lavons dans la cour, dans un gros bac de plastique. Sous le poil mouillé, on voit à quel point il est maigre. Nous le brossons, le séchons, et il devient notre chien.

Il se fait frapper en traversant la 117. Le conducteur vient cogner à la porte de notre maison. Je suis en train de jouer au Super Nintendo avec mon frère. L'homme dit à ma mère qu'il n'a pas pu l'éviter, et je sais que ça doit être vrai parce que le train vient juste de passer au croisement du rang derrière chez Francis et que ça le rendait fou.

Tout le monde pleure, même le monsieur. Francis et sa mère nous rejoignent. Nous ramassons ce qui reste de notre chien sur l'asphalte brûlant, à côté de la voiture aux feux de détresse allumés, pendant que le défilé qui suit la fin du *shift* passe sur la 117. Nous mettons son corps mou dans un traîneau de plastique. Mon père creuse le sol de la forêt au pied d'une épinette tordue. Le trou est profond, pour empêcher les renards de le déterrer. Nous y jetons sa balle grugée.

Avec Francis, nous allons rarement du côté de la voie ferrée. Le train ne m'avait jamais réveillée pendant la nuit. À partir de ce moment, j'entends pourtant résonner ses deux coups de sifflet, lâchés pour avertir les camions qui empruntent le rang du dépotoir.

Vertige

Je gravis les marches de métal de l'observatoire, et plus je monte, plus la rumeur enfle. Fracas de roches versées dans la benne des 240 tonnes qui sillonnent la fosse, remontent les rampes avec le minerai sorti de terre. Bruits de foreuses qui creusent le sol pour qu'on y mette la dynamite liquide, tapis de pneus noirs attachés ensemble contrastant avec le gris du roc.

Les graminées se balancent sous le vent léger, en bas.

Les garde-fous sont assez hauts pour que personne ne puisse se lancer dans le vide. Je voudrais que Francis ne soit pas au fond du trou, mais à côté de moi, pour qu'il me dise que lui aussi hait ce paysage organisé contre le ciel bleu. Il ne le dira pas.

La journée est magnifique.

Des hirondelles bicolores passent en piqué dans les courants d'air. J'aimerais pouvoir me jouer comme elles de ce vertige, ne plus voir que l'immensité du ciel et pas ce vide qui commence sous mes pieds. Je reste un long moment entre le ciel et la fosse.

— Mademoiselle, ils vont *blaster*, on va fermer l'escalier. Il faut descendre.

Le gardien venu me chercher attend que je me détourne et m'emboîte le pas dans la descente. Je remarque les caméras de sécurité, les barrières et les avertissements sur les panneaux métalliques au-dessus de ma tête. Le grillage résonne de nos pas désynchronisés. Je me retourne pour voir le visage de l'homme. Il se sent obligé de formuler une phrase, comme si j'avais posé une question.

— C'est impressionnant, han ?

Je ne réponds rien. Je pense au chien dans sa cage de métal pendant que le gardien referme les grilles, les verrouille avec une lourde chaîne en mailles d'acier et trois cadenas différents.

Je ne sais plus qui on essaie de protéger : moi ou la fosse ?

Le gardien me salue, revient sur ses pas.

— Ils devraient *blaster* dans pas long, si vous voulez vivre ça. Ils ont foré proche aujourd'hui, on va bien le sentir.

Il me laisse seule avec mes images de Francis dans la fosse, assis sur un banc en cuirette dans un autobus scolaire avec les autres opérateurs de machinerie, pendant que le boutefeu dépose dans ses trous parfaitement alignés trois produits qui, sous l'impulsion électrique, font trembler la ville quelques secondes.

J'hésite à partir. Je ne suis pas une touriste qui vient jouer à l'onde de choc. Pourtant, je reste. Bien adossée contre la Tercel.

Un chien aboie. Au musée, dans une vitrine, une roche veinée d'or fait un vingtième de tour vers la gauche. La bibliothécaire se penche pour ramasser un livre tombé d'un rayon.

Précédents

Nous mangeons dans la cuisine pendant que le soleil descend lentement, s'allonge sur le plancher comme il le faisait avant dans la maison qui n'existe plus.

Nous ne disons rien, mais je pense que nous sommes bien et que nous le comprenons en même temps.

Les quelques jours de congé de Francis l'ont ramené de sa fatigue. Nous sommes allés marcher avec le chien du côté du chemin de fer. Un seul convoi est passé durant nos marches. Francis a tenu le chien en laisse. Dans mon souvenir, nous avions vu très peu de trains passer devant nous, enfants. Avant la mort du chien, on en faisait un événement.

Nous posions nos pieds au sol, assis sur nos vélos, les mains sur les poignées de caoutchouc réchauffées par le soleil.

Francis partageait avec excitation des idées qui ne me seraient jamais passées par la tête : mettre un vingt-cinq cennes sur le rail pour que les roues du train l'aplatissent, trouver un morceau de ferraille assez long pour faire descendre la barrière et sonner les cloches comme si un train arrivait, poser des roches assez grosses pour faire dérailler le convoi.

Il m'expliquait le processus en détail sur fond de wagons cliquetants, et quand venait une occasion de mettre le plan à exécution, il insistait plutôt pour qu'on aille rouler vers la rivière, où il disait avoir vu un rat musqué, ou une hermine.

Rosée

Les matins sont trop frais pour marcher les pieds dans le gazon sans frissonner.

Le chien fait des allers-retours entre la porte et moi, pousse ma main sur sa tête avec son museau à la truffe humide. Francis est parti travailler il y a vingt minutes, et nous tournons en rond, l'un plus convaincu que l'autre de la nécessité de sortir. Les yeux globuleux du chien et son expression désespérée me font sourire. J'enfile le manteau de Francis accroché dans l'entrée.

Vraiment, l'intensité du soleil est trompeuse.

Dans la voiture, en route vers la mine, il fallait donner un petit coup de chauffage si tôt le matin. Je m'obstinais à mettre un pantalon court, espérant trouver la vraie chaleur de l'été au retour. Nous roulions alors dans la Tercel les vitres baissées, j'entendais les enfants des voisins s'ébattre dans la piscine, et je me disais que décidément août passait trop vite.

À la fin de l'été, de ce dernier été, on viendrait sonner à la porte d'une maison qui ne serait bientôt plus la mienne.

Quand tes silences

L'idée de rentrer à Montréal fait son chemin depuis quelques jours. L'atelier m'attend. J'avais un message de Jean-Guy sur mon téléphone, il s'excusait de m'appeler, ne voulait pas me déranger, mais certains détails demandaient mon attention.

J'ai répondu à son appel enfermée dans l'habitacle de la Tercel, de peur que Francis n'entende ma conversation. Je ne voulais pas qu'il sache que j'allais repartir bientôt. Je ne savais pas encore combien de temps il me faudrait pour revenir.

Le pire, j'y penserais encore sur la route dans le parc de La Vérendrye ; le pire, c'était sa façon de ne rien dire, de faire comme si c'était normal. De mon arrivée subite à mon départ sans préavis, de mon passage du divan à son lit.

La nuit, dans son sommeil pesant, Francis

se tourne et passe son bras autour de moi pour m'étreindre si fort que je ne peux pas croire qu'il dorme encore. Les yeux ouverts dans le noir, je cale mon dos contre sa poitrine tiède. Je sens la pression de ses lèvres sur mon épaule. Je n'ose plus respirer.

Le lendemain, il se lève avant moi. Pas un mot, pas un geste. Je suis aimantée vers lui toute la journée, recueillant un fil sur son épaule, une poussière sur son bras.

La nuit suivante, je dors de mon côté, pétrie de questions sans réponses.

Aube

J'ouvre les portes de la maison de Francis. Le chien me suit. Les pièces sont froides. La lumière de l'aube ne me rend pas plus calme.

J'ai besoin d'une autre maison, d'espaces ouverts. De retourner à mon corps d'enfant, à mes jambes nues contre le plancher de bois frais quand je m'assois devant le poste de télévision. La vitre courbe me renvoie mon reflet. Je l'allume. Mon visage s'efface dans l'image tremblante, le silement me dérange. Il est trop tôt pour l'heure.

Plus personne ne dort au-dessus de ma tête. Je cherche l'escalier où je m'assoyais, les jambes ballantes dans le vide. Je n'ai plus cinq ans.

J'attends. Je repars.

Ted (2)

Le matin, debout à l'entrée du poste de garde, Ted tire rapidement de longues bouffées de sa cigarette. Il pousse les portes du pied, les laisse retentir contre leur cadre de métal sans amortir l'impact. Son accent rêche et ses phrases en franglais m'incitent à me tenir à distance.

Ted dîne après nous. Il faut quelqu'un pour surveiller la fusion pendant la pause, et cette tâche est la sienne – même les jours où on l'assigne à la *prep* ou au *wet lab*, il mange seul.

J'ai fait de Ted une copie moderne des travailleurs immigrants de l'époque de la ruée vers l'or en Abitibi, arrivé là comme tous les autres en espérant tirer de la terre une richesse qui permettrait de ne plus avoir faim. Un mythe vivant qui empeste la cigarette et me pince l'oreille entre ses deux doigts gantés dès qu'il passe à côté de moi.

Barrages

Francis, tu n'es pas loin, mais tu n'es pas là quand je prends les détours de la 117, quand je fatigue la Tercel. Ce n'est plus moi, dans cette voiture, je n'y suis plus celle que j'étais avec toi.

Je suis assise à ta place. Je conduis et je n'aime pas ça. La ville reprend l'espace de la forêt, de gré ou de force. Les saisons prennent l'eau, ma tête est comme la cabane, détruite, ou pourrie. Des traces de rien qui cahotent sur l'autoroute.

Louvicourt. Le Domaine. Grand-Remous. Mont-Laurier. Sainte-Adèle.

J'ai encore peur de ta déception parce que je vois la retenue dans les gestes que tu ne fais pas vers moi. Tu voudrais me dire que je suis égoïste ou insensible, ce serait aussi bien que tu le dises à voix haute. J'ajouterais peureuse, ils ajouteraient aussi traître. Ce ne serait pas joli, je pleurerais peut-être. Tout sauf cette rivière endiguée.

Tu as eu tort de penser que je pouvais être comme eux. Debout devant ma maison.

Il faut que je m'arrête pour vérifier le niveau d'huile de la Tercel. J'ai toujours une pinte dans le coffre, entre mes maigres valises, faites pour partir vite et revenir encore plus rapidement.

J'entre dans mon appartement de Montréal. J'ai un trou à la place du cœur, les poumons tremblants, le souffle qui vacille. La neige colle aux vitres. Je n'entre nulle part. Je ferme ma tête.

Affolements

Les jours de l'atelier se fondent dans ceux de la mine. Je retrouve la même lassitude, une fois passée la porte de l'appartement, qu'après une journée de juillet à étendre de la *muck* sur des tôles de métal.

La surveillance de Jean-Guy est serrée, mais discrète. Il me pointe gentiment mes erreurs d'inattention, dans le passage d'une machine à une autre. Les conversations des gars autour de moi sont muettes, il n'y a que le silence bourdonnant de mes oreilles, la soudaine proximité de mon souffle et des battements de mon cœur.

Il faudra lundi, mardi et mercredi passés dans l'odeur de sciure pour qu'enfin je me décide à me rendre utile. Nous recevons une livraison de matériaux synthétiques. Matt fait les plans de coupe, et je calcule le nombre de morceaux qu'il sera possible d'obtenir de chaque panneau, en évitant les pertes.

Il me faudrait sortir d'ici et emprunter le sentier jusqu'à la rivière, me piquer à l'enveloppe des noisettes cueillies et toucher le bras de Francis chaque fois qu'un petit animal sort du bois en nous fixant de ses yeux brillants et sombres, d'une immobilité prête à se rompre d'affolement.

Si ma tête est pleine de chiffres, ça peut bien aller.

L'odeur de sciure

Matt me regarde de l'autre bout de l'atelier avec son air narquois. Ça dure une fraction de seconde, puis il tourne la tête vers la planche qu'il est en train de dégrossir. Son bras droit est tendu, pèse sur la garde et sur la planche, son corps entier guide le bois vers la lame en mouvement. Son regard dirige la coupe, mais l'impulsion commence avant, dans le ventre, dans la respiration.

Il est beau, Matt. Ses muscles sont longs sous la peau, on voit leur souplesse au moindre geste. On dirait qu'il a toujours une chanson dans la tête. Ça le fait rire de me voir être dans l'atelier et ailleurs en même temps. Comme ça faisait rire Vincent.

Une pile de belles planches croît tranquillement sur un banc de scie dont on se sert surtout pour déposer nos morceaux.

Je termine la semaine en jonglant entre les millimètres et les quarts de pouce, parce que mon charmant collègue aime bien me donner de la misère. Je reporte les mesures sur les panneaux de fibres avant de les couper sur le banc de scie. Chaque outil a son bruit particulier, et l'aigu de la scie ronde me plaît plus que les autres. La table est placée près de la fenêtre qui donne sur la rue. Les heures avancent. Je sens la lumière changer d'endroit sur ma peau, même si mon attention est dirigée vers la scie qui tourne, vers mes mains. Ni l'odeur ni la sensation ne rappellent les planches qui ont été des arbres.

Il y a une sorte d'évidence tranquille à répéter le même geste encore et encore. J'aime respirer l'air tiède de mon masque. J'aime ces lunettes de sécurité pesantes, mes cheveux relevés en queue de cheval, mes pieds dans mes bottes lourdes, et surtout cette vieille chemise tachée de vernis aux manches roulées, usée par Francis.

Saluer la caméra, reculer d'un mètre, avancer, charger les fourchettes

Les premières semaines, à la mine, j'avais du mal à m'adapter. J'ai hérité du surnom de « Belette craintive ». C'était une remarque affectueuse attribuée par Bob, mais les autres n'ont pas tardé à oublier que c'était « Maude » qui était brodé en lettres cursives sur ma chemise.

Je ne pouvais pas me défiler devant Bob. Je n'avais pas besoin de prononcer un mot pour qu'il devine ce que j'avais dans la tête. Je n'avais pas l'instinct pour la mécanique ni pour les valves qui s'ouvrent dans un sens et qui se ferment dans l'autre. Je ne savais pas quoi faire avec les machines qui clinquent de travers, qu'une panoplie de pinces et d'innombrables sacres finissaient par faire taire. Bob m'a appris ce que je sais maintenant, et mes mains n'hésitent plus.

Les gars aimaient ma peur attentive. Ils inventaient des étapes aux procédures, pour le plaisir de me voir effectuer dans ma routine ces gestes absurdes. Je n'en oubliais aucun. Ils ont fini par m'avouer leur farce quelques jours avant mon départ, plusieurs années plus tard. J'ai ri avec eux.

Le dernier été, je maniais l'équipement en prétendant que ce n'était pas trop lourd pour moi. Je devais coincer le boyau d'arrosage entre mes genoux pour ne pas l'échapper à cause de la pression de l'eau. Bob me taquinait en permanence, mais il passait avant mon quart de travail déposer une chaudière pesante sur le comptoir, charger une nouvelle bonbonne de propane dans le chariot élévateur. Je ne disais pas merci, mais je mettais son dîner dans le réchaud, je lui apportais les outils dont il aurait besoin avant qu'il ne les demande. Il m'avait appris l'orgueil.

Dégel

Ici, à Montréal, il me manque le silence des arbres. Mais c'est la nuit, et elle donne un peu de répit à la ville. Je m'entends respirer et mon manteau craque au froid. Les ruelles sont faiblement éclairées. C'est ainsi que je trouve Montréal la plus belle. Ses formes sont adoucies, et les saletés disparaissent sous la neige.

J'ai fait un banc pour Francis. Je l'ai commencé avant l'hiver. Même s'il ne le sait pas, je retiens l'objet, comme une punition, comme une clé perdue jamais réclamée. En colère contre moi, contre lui, j'ai travaillé lentement. Toucher du bois m'a gardée loin.

Sur le boulevard, les autobus creusent des sillons profonds. C'est probablement la dernière bordée de l'hiver ; ils la laisseront fondre. Nous pataugerons dans l'eau, les bottes qui sèchent raidies et blanches, cernées par le sel.

Enfant, je circulais, comme les animaux, le plus souvent dans mes propres traces. Je voyais ce que je voulais voir. Qui est venu. Quel animal. Parti par où.

Je cherchais les abris creux sous les grandes épinettes qui révèlent à leur pied le sol gelé et sa couche de feuilles mortes.

Les mésanges s'énervaient dans les arbres à côté. Curieuses.

Je me laisse tomber dans la neige molle, qui grince en se tassant sous mon poids.

Personne n'en avait dérangé l'épaisseur.

Fuir

Francis, si tu avais été Bob, tu serais à demi pardonné.

Les yeux de Bob n'ont pas ce fuyant que tu as dans le regard. Bob, ses mains, il les avait pour saisir une scie, un tournevis, conduire un camion, brasser de la boue et de la poussière. Ses doigts étaient larges, courts et sa paume faisait paraître un jeu de cartes ridicule. C'étaient des mains aux caresses qui devaient être précieuses. Des caresses pesantes comme la gravité de sa voix quand il parlait des femmes.

Je la voyais, la maison à la grande verrière au bout du rang. Bob avait trouvé une par une les pierres pour faire la cheminée, hissées à bout de bras comme l'aurait fait son grand-père. Pas de raccourci. Le respect de l'effort.

Du temps qu'il faut prendre. C'est ainsi que ça vaut la peine.

Même chose à la raffinerie.

Bob, il s'arrêtait, malgré sa course folle, la course de ceux qui ne savent jamais s'arrêter, pour me montrer un bout de métal précieux tombé en une longue gerbe au sol, de la lave, de l'argent et de l'or en serpentin crevassé.

— Tu t'en ferais un bijou, si tu pouvais, han ?

J'aurais pu. Plus maintenant.

Or visible

Un géologue, la tête protégée par un filet, a noté dans son cahier barbouillé de terre et de graphite « VG », *visible gold.*

Sur les tables de fortune qui l'entourent, déposées sur le sol inégal, les boîtes de carottes de forage s'alignent. Leurs rainures, comme des écrins, accueillent les cylindres de pierre.

Dans quelques années, à plusieurs centaines de mètres sous terre, on fera descendre les mineurs. Ils balaieront les parois de la lumière jaune de leur lampe frontale. Ils dynamiteront le roc. Ils porteront jusqu'à la *dry* l'odeur du diesel des machines. L'humidité de la mine remontera avec eux à la surface.

Ils penseront peut-être au temps de la Bourlamaque, où les veines d'or, larges comme un homme, serpentaient dans le roc, mates sur le quartz luisant.

Ted (3)

La préparation des échantillons de la raffinerie est l'une des manœuvres les plus délicates. La scorie, puisée à même la lave qui gicle au sol pendant la coulée des lingots, doit être mélangée manuellement, après avoir été réduite en poudre par des anneaux de métal pesants.

C'est Ted qui manipule ces échantillons.

Sous une hotte, il déplie un grand carré de caoutchouc noir. Il y verse la poussière couleur rouille, puis, en ramenant en alternance les coins près du centre, il commence une série de mouvements souples.

Malgré son âge, il se tient très droit, les épaules en arrière. Ses cheveux roux frisottent sur sa nuque humide. La poussière roule sur elle-même sur le tapis mou.

Ted sifflote une mélodie joyeuse, accompagnant le rythme de ses gestes fluides, précis.

Au milieu des machines à concasser, broyer, pulvériser, la procédure est auréolée du mystère des rituels.

— *Don't hear* toi travailler, *Miss* Maude.

Il roule le tapis d'une main, remet l'échantillon dans le sachet de plastique duquel il provient. La poudre fine, parfaitement mélangée au terme des quatre-vingts mouvements comptés, glisse lentement. Il n'en perd pas une particule.

Ce n'est rien, au fond. Qu'un travailleur remuant des poussières en répétant les mêmes gestes. Qu'une étudiante qui n'est pas en train de travailler.

Pourtant, quand il se retourne enfin, je vois Ted, gamin, goûter sa première bière tendue par le bras veiné de son père, et sa maison au bord du lac aujourd'hui, vide et vaste, l'ombre clignotante des chauves-souris qui plongent à la tombée de la nuit pour gober les éphémères.

Meute

Le volant de la Tercel vibre sous mes doigts. Je guide la voiture sur la 117. J'ai du mal à conserver une vitesse constante. J'enfonce la pédale au maximum. Ça ne change pas grand-chose.

Entre Montréal et Val-d'Or, je ne fais que tâter l'espace vide. J'ai fini par atteindre le paysage, d'une borne à l'autre, mais je ne sors pas de l'habitacle. Je préfère encore la route qu'il fallait prendre entre nos maisons et la mine. Ici, les arbres ne sont pas tangibles. La forêt n'a pas de dimension. Aucun animal n'habite le couvert des branches.

Je me revois assise à côté de Francis, tôt le matin. Il conduit la Tercel sur la 117 mouillée, vers Cadillac. Les autres voitures devant et derrière sont à bonne distance.

Il a coupé la radio. Les essuie-glaces chuintent contre le pare-brise. Je ne me tourne jamais vers la route, devant. Je suis du doigt les rigoles d'eau sur la vitre du passager.

Dans le vert du bord de la route et malgré la pluie, je vois un éclair gris sortir du bois, se diriger vers nous. Francis ne modifie pas sa conduite, mais il incline légèrement la tête. Je sais qu'il l'a vu aussi.

Maigre, seul, à l'heure du passage des mineurs dans l'aube hésitante, c'est un loup, ou un coyote.

D'un seul bloc

— C'est toi qui as fait ça ?

Francis regarde le long banc, fait d'une planche de bois massif et de vieille tuyauterie, qui dormait dans le coffre de la Tercel.

— Il va falloir que tu m'aides à le transporter à l'intérieur, pour une fois, c'est vrai que c'est trop lourd.

— Maudite orgueilleuse !

Il me fait un de ses plus rares sourires, avant de suivre des doigts les veines foncées qui tranchent sur la chair pâle du bois ciré. C'est une de nos plus belles pièces, celle que j'ai mis un hiver à fabriquer dans l'atelier. J'avais longtemps regardé ce tronc d'arbre naturellement tortueux, coupé en un seul bloc.

J'avais pensé à Francis. Je ne me souvenais

pas de lui avoir dit merci pour la voiture ou pour rien d'autre. Malgré son constant détachement pour les choses matérielles – sauf pour tout ce qui est dans la catégorie « avec pneus » –, je savais qu'il appréciait les objets qui se souviennent de l'endroit d'où ils viennent. Ce banc parlait de l'arbre dont il était fait. On en percevait encore la force, dans la longue assise en un morceau. Il était vivant.

Le chien lui a couru autour des jambes jusqu'à l'intérieur. Nous avons déposé le banc dans l'entrée en soufflant.

— Petite vieille.

Mon épaule s'est appuyée contre la sienne, le temps de dire lapin trois fois. Il a pressé l'arrière de mon cou en réponse, d'une main.

Témoin

— J'étais là quand ils ont amené la pépine. Ils ont fait ça en plein jour. Tu venais juste de partir.

Je ne veux pas en entendre plus, mais Francis, lui, a besoin de me le dire. Je le laisse faire ; si c'est une manière de me punir, il a le droit. C'est moi l'absente, la disparue.

Il raconte le fracas de briques et de bois qui cèdent. La pression mise sur la structure, presque rien. Les murs résistent une fraction de seconde avant de s'écrouler, le deuxième étage s'effondre sur le premier, les vitres éclatent, la poussière vole ; c'est aussi violent

que rapide. La cheminée est ce qui reste le plus longtemps debout. Un dernier coup de pelle la met au sol. En quelques minutes, ma maison n'est plus qu'un tas de débris pointus, tordus, absurdes, qu'on commence aussitôt à charger dans un camion-benne, qu'on videra de l'autre côté du chemin de fer.

— Après, quand je regardais par la fenêtre du salon, j'avais chaque fois un choc parce que j'oubliais qu'ils étaient venus. Et puis tout a continué de disparaître : la forêt, du côté de la rivière, et maman. Et tu ne revenais pas et chaque jour j'attendais un peu plus, et un peu plus. Ils ont ramassé ce qui restait, plein de matériaux auraient pu être réutilisés.

Il fait une pause et me regarde. Je pleure, tournée vers la 117, vers ce paysage qui n'est pas le mien.

Ça ne pouvait plus être le terrain de jeu d'aucun enfant, ça n'était signé que par des décombres, du gris, du bruit.

Le chien, anxieux, fait des allers-retours entre Francis et moi. Francis se met à chasser des miettes invisibles du comptoir de la cuisine. Je me souviens d'avoir vu sa mère agir de cette manière quand elle parlait au téléphone avec son père, le combiné coincé entre son épaule et sa tête inclinée, dans une position inconfortable. Puis, comme s'il prenait conscience de son agitation, Francis s'arrête, esquisse un geste de la main droite, tournant sa paume vers le plafond.

— T'imagines, le nombre de cabanes qu'ils auraient pu construire.

La nuit, l'hiver

Francis, les voisins et moi jouons devant la maison. Nous avons un but de hockey, une balle orange fluo. Les bancs de neige font au moins deux mètres de haut. Je joue avec un bâton de gaucher trop long pour moi.

Les voitures sur la 117 sont des comètes. Les lumières des maisons vacillent entre les flocons qui tombent du ciel noir noir.

Les voisins essaient de lever ma palette du bout de leur bâton. On ne m'enlève pas la balle facilement. Même s'il n'y a pas d'équipes, pas de gardien, et que les buts ne comptent pas vraiment, je suis fière de ma force.

Quand Francis se lance tête première dans le banc de neige, nous faisons pareil. Chaque partie de mon corps est pesante, s'enfonce dans la neige moelleuse. À travers mon pantalon d'hiver, le froid me pique les fesses.

Mes bas refoulent au fond de mes bottes en cuir de vache.

Du banc de neige, nos quatre souffles sont de petites cheminées et notre boucane monte vers les étoiles. Le reste est immobile.

Perséides

Francis allume un feu au milieu de sa cour. Quand nous étions adolescents, c'était le genre d'événement qui pouvait se produire chaque soir de beau temps, l'été. Il approche un banc assez large pour nous deux, sort de son *pick-up* neuf la couverture de secours qu'il y laisse en permanence.

Le chien se couche sur mes pieds.

Le ciel, plein de nuages à la brunante, se dévoile lentement et s'assombrit, piqueté d'étoiles de plus en plus brillantes. Un halo entoure la lune. Ni Francis ni moi ne nous rappelons quel présage annonce une lune d'été avec un halo. Sa mère l'aurait su. J'aimais l'écouter parler, avec sa voix douce et basse. Elle nous pointait les constellations, nous disant leurs noms et les légendes amérindiennes qui y étaient associées, avant de nous laisser seuls au bord du feu à discuter tranquillement.

Ces soirs-là, j'avais la permission de rentrer tard. Mon père ou ma mère traversait la 117 quand il était temps de rentrer, s'assoyait un instant avec nous, et je semblais m'éveiller d'un rêve quand mes pieds, après le gazon humide de la cour de Francis, rencontraient la dureté tiède de l'asphalte.

Rares étaient les voitures à cette heure.

Je retrouvais mon petit lit et les draps pesants. Je pensais à ces légendes et aux animaux dans la forêt en me demandant s'ils suivaient eux aussi le tracé des étoiles.

J'ai oublié le nom des constellations avant toute chose.

J'ai oublié le ciel, sa largeur, son poids infini de distance au-dessus de ma tête, la fumée qui tourne dans le vent et qui pique les yeux avant qu'on s'en débarrasse en disant lapin lapin lapin.

Francis alimente le feu pendant que la peine enfle au creux de mon ventre, et la main pesante continue sa lente poussée sur mon thorax.

J'aimerais que Francis ait une légende à me

raconter, et que je m'endorme enfin comme l'enfant que je sais être en oubliant mon corps sous les draps et les nœuds et les ambages qui l'habitent.

Bestiaire

Deux porcs-épics, des couleuvres à ne plus savoir combien, des marmottes, des renards, un derrière d'orignal à travers les branches, trois ours noirs, une salamandre luisante dans un tronc d'arbre pourri, des mésanges qu'on essaie d'apprivoiser, le pic-bois.

Un oisillon au fond d'un nid, puis au creux des mains de Francis.

Un lapereau au milieu du gazon, minuscule, qui fixe le museau du chien, une patte levée devant lui sans glapir.

Le lapereau meurt dans une cage. J'avais enlevé des tiques de ses oreilles avec un coton-tige et de l'huile pour bébé. J'ai quinze ans, je pleure quand même.

Je n'ai jamais vu d'autres martres que celles

trappées par mon voisin, la peau détachée du squelette et étirée pour qu'elle sèche sur de grands cadres.

Repartir

Dans l'entrée, le banc est une preuve de mon passage. Francis m'avait dit que maintenant que j'avais un endroit où poser mes fesses, je ne devrais pas avoir trop de mal à revenir. Je lui ai répliqué que le plus près possible de la porte de sortie, ça m'allait. J'ai ri, mais pas lui.

Je lui ai parlé de l'atelier, et j'ai vu qu'il voyait. Enfin quelque chose que je faisais vraiment. Où j'étais entière.

— La vie continue, Maude, tu fais bien.

J'ai encore plus de peine devant cet encouragement sincère que devant beaucoup de paroles ou de gestes manqués de Francis.

Le chien surveille l'écureuil minuscule qui gratte la pelouse. Ses oreilles remuent et il piétine d'impatience.

Je l'attache à son câble avant d'ouvrir la porte. Le chien se lance vers l'écureuil, et la petite bête grimpe aussitôt dans le mélèze, duquel tombent des gouttes d'eau laissées par la pluie. Mon regard se déporte plus loin. À gauche s'étale un pan de forêt, trembles et épinettes dressés haut, comme si on n'allait jamais les coucher au sol.

Je ne peux plus rien voir tomber.

Pour l'instant, je laisse Francis entre Val-d'Or et Malartic, avec son chien dans sa maison, ses horaires de jour et de nuit, ses visions fantômes de nous deux à vélo dans sa cour ou dessinant un sentier. Peut-être pas des visions de nous deux, mais des répliques miniatures qui auraient leurs rêves et, un jour, leurs souvenirs fragmentés, une histoire en patchwork au fond du regard.

Arpenteurs

Avec mon père, nous sommes de vrais explorateurs. Nous avons des chapeaux d'Indiana Jones, aucun insecte ne me fait peur. Je suis invincible.

Francis d'un côté, mon père de l'autre, nous fouillons les bosquets en bord de sentier. Les noisetiers ne s'imposent pas dans le feuillage. Nous repérons bien avant l'arbre les couples de noisettes à l'enveloppe verte en apparence duveteuse, mais aux poils fins qui restent piqués dans la peau.

Nos mains sont trop petites pour les gants de construction. Mon père ramasse les fruits et déchire l'enveloppe, révélant une coque couleur os, avec une noisette blanche à l'intérieur, tendre sous la dent.

Pour des heures de recherche dans le sentier, nous mangeons à peine cinq noisettes chacun.

Nous ne manquons pas les formes et les textures différentes des feuilles, les toiles d'araignées à la symétrie parfaite, les monarques qu'on ne peut différencier des vice-rois.

Nous avions notre regard, les écureuils avaient les noix et graines, les ours les bleuets pâles perchés dans leurs buissons miniatures, les couleuvres les fruits rouges des quatre-temps et la forêt gardait pour elle les amanites tue-mouches qu'il ne fallait jamais ni toucher ni manger.

Je ne sais même plus si j'aimais vraiment le goût de ces noisettes sauvages, probablement pas mûres au moment de les cueillir.

Perdre son nord

Je n'ai pas entendu ma maison craquer, que ce soit sur un camion ou pendant qu'elle s'effondrait sous le poids de la pelle mécanique. Mes parents avaient choisi la brique parce que le passage des années ne se voyait pas. Ici, quand on érige, on ne fait pas dans l'éphémère.

Ceux qui sont venus les premiers dans ce bout du monde, pensaient-ils changer de terre ? Ils se voyaient non pas seulement eux, mais une génération après l'autre, toujours devant le même horizon, dans les mêmes corridors, derrière les mêmes fenêtres.

Quand mon père me déposait sur le dessus du vaisselier, je devais avoir trois ans, l'espace m'appartenait. Mes parents, le paysage de l'autre côté des vitres, la façon dont le soleil s'inclinait contre le plancher dans la lumière dorée de cinq heures.

Même la respiration des arbres, qui meurent et renaissent différents, la forêt qui n'est jamais la même ; rien ne devait jamais changer.

Je ne les ai pas regardés ériger un mur de terre, y semer des herbes folles pour en faire une belle colline verte. Entre la 117 et le vide.

Je n'ai pas franchi les zones clôturées pour aller y promener mon chien, en passant par des sentiers maintenant interdits, au risque de me faire interpeller par deux gamins au casque bleu, logo brodé sur le cœur.

Je n'ai jamais été en colère.

La forêt

Je regarde longtemps le désert gris. Il y a des signes de vie, au-delà de ce paysage impossible à imaginer, mais rien près du sol, rien ne réussit à pousser. Le gravier est stérile.

J'ai beau me dire qu'on ne peut pas tout défaire, je ne vois que l'ombre de la forêt dévastée. On a arraché les racines, rendu impossible la résistance.

On m'a dit que la nature reprendra son règne lorsqu'il n'y aura plus assez d'or pour que ça vaille la peine. Ils laisseront le trou béant se remplir d'eau de pluie. Ils ont de belles images d'un lac artificiel, de petits humains sont dessinés en maillot de bain à côté, un bateau, on devine une canne à pêche.

Refaire les voyages en 240 tonnes, la benne pleine, pour remettre le gravier dans la fosse brûlerait des litres de diesel. Les dépenses en

main-d'œuvre seraient inimaginables. Et on
n'aura pas assez de dix vies pour voir ce trou
devenir lac.

Éclaireur

Il aura fallu que Francis y aille avant moi. Je ne voulais pas qu'il me raconte ce qui était pareil ni ce qui avait changé. Ni la cabane, ni les arbres, ni le sentier.

Je voulais qu'il entre là avant moi, en éclaireur, pour faire sauter les mines antipersonnel sous ses pieds au lieu des miens. Ma mémoire me défigure.

— Le pelage des lièvres est entre deux saisons.

Je ne sais pas ce que j'attendais. Je n'osais pas franchir leurs barrières, leurs limites. J'avais accepté que plus rien ne m'appartienne. Je leur avais dit de prendre ce qu'il y avait à prendre et de m'oublier. Il me restait quand même un trou béant, que j'arrivais de moins en moins bien à combler.

— C'est le temps, avant que les marin-gouins sortent !

Francis m'avait assuré que la rivière était encore au même endroit – du moins pour l'instant. Il savait qu'on serait bientôt prêt à forer le terrain, à y mettre des explosifs et à ramasser le minerai, mais il n'avait encore jamais été affecté à cette zone. C'était aussi possible que le gisement ne vaille pas la peine, à cause des fluctuations actuelles du prix de l'or.

— Tu sais, les noisettes sont sorties.

Francis s'est mis à marcher dans le salon. Puis il est revenu vers moi, m'a serrée fort dans ses bras.

— *Go.*

Avancée / Bois debout

Un tremble est tombé en travers du début du sentier, son écorce gangrenée, ses branches noires. Des insectes ont creusé des sillons en surface.

Je m'appuie sur un bouleau pour le franchir. Le tremble n'est pas tombé complètement au sol ; il s'appuie sur les branches d'un arbre plus petit, qui a lui-même l'air sur le point de s'effondrer.

Je caresse l'écorce douce du bouleau. Ou c'est l'inverse. La forêt m'enserre, se referme presque au-dessus de ma tête. J'écarte les toiles d'araignées invisibles tendues entre les branches avant qu'elles ne me collent au visage.

Un peu plus loin, j'apprécie la droiture des conifères, qui brisent ce plafond de feuilles, qui ménagent des trouées pour le blanc du ciel. Pour l'instant, les branches tentent encore de se rejoindre d'un côté à l'autre, quelques petites pousses au sol se hasardent à s'enraciner.

Tout est en équilibre précaire. J'entends la rivière. Il me faudrait m'approcher pour la voir.

CRÉDITS ET REMERCIEMENTS

Les Éditions du Boréal remercient le Conseil des arts du Canada
pour son soutien financier ainsi que le Fonds du livre
du Canada (FLC).
Canadä

Les Éditions du Boréal sont inscrites au Programme d'aide
aux entreprises du livre et de l'édition spécialisée de la SODEC
et bénéficient du Programme de crédit d'impôt pour l'édition
de livres du gouvernement du Québec.
Québec ▦

Photographie de la couverture : Heinrich Volschenk

Ce livre a été imprimé sur du papier 30 % de fibres recyclées postconsommation et 70 % de fibres certifiées FSC, certifié ÉcoLogo et fabriqué dans une usine fonctionnant au biogaz.

MISE EN PAGES ET TYPOGRAPHIE :
LES ÉDITIONS DU BORÉAL

ACHEVÉ D'IMPRIMER EN AOÛT 2016
SUR LES PRESSES DE L'IMPRIMERIE GAUVIN
À GATINEAU (QUÉBEC).